ORDER NO: P	54268
DATE:	21/11/2003
SUPPLIER:	Imago Publishing

t.p.s:	280 x 280mm sq
Extent:	224pp
	4/4 text + illustrations throughtout
Paper:	157gsm NPI matt art
Binding:	14 x 16pps
cloth:	Arlin 818
endpapers:	140gsm WF 1/1 P108U
Jacket:	4/0 150gsm glossy art, gloss film laminate overall

Les Paysages iconoclastes
de Martha Schwartz

Les Paysages iconoclastes
de Martha Schwartz

Sous la direction de Tim Richardson

Traduit de l'anglais par Dominique Lablanche

310 illustrations

Un grand merci à Evelyn Bergalla, Meg Cannon et Nancy Morgan
pour leur aide précieuse, leur affection et leurs encouragements.

Pages 2–3 : Whitehead Institute Splice Garden, Cambridge, Massachusetts.

L'édition originale de cet ouvrage a paru sous le titre
Martha Schwartz – The Complete Landscape Designs chez Thames & Hudson Ltd, Londres.

Cet ouvrage mis en pages par Thames & Hudson
a été reproduit et achevé d'imprimer en décembre 2003
par Imago pour les Éditions Thames & Hudson

Dépôt légal : 2e trimestre 2004
ISBN : 2-87811-239-3
Imprimé en Chine

[sommaire]

Le travail de Martha Schwartz est avant tout une réaction à ce qu'elle perçoit comme le chaos visuel du monde extérieur, une façon d'allouer un peu de sensibilité humaine à ce médium peu malléable, imprévisible et inconstant qu'est le paysage. Le côté exubérant du style de Schwartz, avec ses couleurs vives, son humour impertinent, son imagination débridée, ses matériaux inhabituels, son absence de plantes et l'échelle irréaliste de ses objets, est une source continuelle de plaisir et de surprise ; il adoucit les qualités plus conventionnelles dont témoigne aussi son travail : rigueur, sens pratique et méthodologie méticuleuse. Mais si le sens de l'humour est une facette essentielle de l'œuvre de Martha Schwartz, il ne doit pas cacher le sérieux et la maîtrise de son intention artistique ainsi que le fondement pratique de ses créations.

A la différence d'autres praticiens, Schwartz n'essaye pas de manipuler le paysage naturel avec subtilité, de le plier à ses désirs en se servant de la palette d'arbres, d'arbustes et de fleurs offerte par la nature. Elle n'hésite pas à qualifier ce type d'approche de paresseuse et même de malhonnête. En effet, selon elle, l'idée qu'une « Nature » intacte existe là-bas, quelque part, est fausse ; si tel était le cas, il nous serait alors très difficile d'être inspirés par elle de manière authentique. Dans ce même esprit, elle considère tout hommage à la majesté abstraite de la « Nature » comme totalement déplacé et rejette le romantisme des XVIIIe et XIXe siècles ainsi que les fantasmes de notre temps sur la nature sauvage. Mais elle ne s'appuie pas non plus sur le seul motif linéaire pour exprimer la conscience cosmique, comme ont pu le faire avant elle d'autres paysagistes formalistes, de Bramante aux modernistes en passant par Le Nôtre.

Non, la contribution singulière de Martha Schwartz est de placer au cœur de sa philosophie paysagère un élément conceptuel ou psychique : une seule et unique idée fondée sur l'histoire du site (humaine et écologique), son contexte et la fonction souhaitée, idée extrapolée jusqu'à déterminer tous les aspects du projet. Le résultat est généralement beaucoup plus complexe, symboliquement et visuellement, que cette idée première mais le concept de base reste néanmoins constamment présent – c'est pourquoi tous les projets présentés ici se sont vus attribuer un surtitre conceptuel. Artiste visionnaire à la poursuite d'un positionnement honnête vis-à-vis des environnements extérieurs, Schwartz a élaboré un vocabulaire paysager (littéral, visuel et symbolique) fondé sur les besoins et les aspirations des êtres humains et non sur un vague concept de nature. Suivre cette éthique lui permet de créer des lieux utiles, agréables et chargés de sens. Elle a toujours poursuivi conjointement ces deux objectifs – artistique et utilitaire – mais ils sont devenus au fil du temps quasiment impossibles à distinguer.

Comment situer Martha Schwartz ? D'un point de vue historique, la position qu'elle occupe en tant que conceptrice de jardins formalistes n'est pas originale en son genre. Les références explicites à l'histoire des jardins sont rares dans son œuvre, mais quand elle rend hommage aux traditions anciennes – aux parterres du jardin français du XVIIe siècle et au jardin japonais notamment –, le formalisme dont elle s'inspire est fondé sur un dialogue étroit avec la nature. De même que la tradition formaliste du jardin occidental depuis la Renaissance s'appuie sur une vision néoplatonicienne des formes pures en puissance dans la nature (une pureté recréée par le paysage formaliste), de même l'emploi de matériaux artificiels et la méthodologie conceptuelle de Martha Schwartz ont pour but de révéler les vérités profondes que recèle un lieu et non d'imiter simplement la nature. Schwartz est parvenue à créer sa version pionnière du conceptualisme en passant par le modernisme – en fait, elle se définit encore comme une moderniste et ne cache pas son admiration constante pour la dimension sociale, les lignes disciplinées et le fonctionnalisme de ce style. Mais seuls ses tout premiers travaux en solo répondent véritablement à cette appellation. Au fur et à mesure qu'elle a pris de l'assurance, son travail est devenu plus exubérant, plus personnel, spirituel et coloré. L'insistance sur la pureté de la ligne et les passions abstraites engendrées par l'agencement des volumes a été mise au service d'un récit conceptuel plus humain.

Si la logique de Schwartz s'inscrit aisément dans la tradition du formalisme, son travail n'en est pas moins en rupture avec son époque. Pour cette raison, elle a dû essuyer les critiques et parfois le mépris de ses collègues paysagistes. S'il lui est arrivé de se montrer agressive, il suffit de jeter un coup d'œil à certaines des attaques dont elle fut l'objet pour comprendre son attitude. Pour certains, le travail de Schwartz relève du procédé, on le trouve superficiel et de mauvaise qualité. L'humour qu'elle n'hésite pas à inclure dans ses projets constitue pour d'autres la preuve d'un manque d'intégrité ou de rigueur intellectuelle. On l'accuse d'être contrariante ou délibérément obscure. Au lieu d'adhérer paresseusement au modernisme de l'architecture commerciale contemporaine, de s'allier à un mouvement architectural respectable comme le post-modernisme ou de succomber au charme du paysage éco-révélateur ou de « processus » aujourd'hui à la mode, Schwartz a choisi de rester à la périphérie. Son plus grand crime est d'être originale.

[Le jardin à la Schwartz] La première impression que l'on retire d'un jardin émane toujours de ses composantes visuelles ; c'est pourquoi Martha Schwartz entend créer des effets spectaculaires au moyen d'éléments inattendus, étranges et apparemment incongrus, réunis dans un plan d'une grande rigueur formelle. En premier lieu, il y a la couleur. Schwartz pense que la société occidentale, particulièrement sa composante masculine, a la « phobie » de la couleur. Elle n'hésite jamais à employer des tons vifs, les plus artificiels possible de préférence. C'est l'aspect de son style le plus régulièrement rejeté par ses clients les plus conventionnels. Elle considère que la couleur a non seulement une grande puissance émotive mais qu'elle joue aussi un rôle majeur dans l'ordonnancement d'un site. Ce rôle est souvent renforcé par la répétition de formes, de schémas et de motifs simples, traités

aussi aisément sur le plan graphique (comme un parterre ou un dallage quadrillé, par exemple) qu'en trois dimensions (grâce notamment à des alignements d'arbres). Cet emploi de la couleur et de motifs répétitifs est particulièrement utile, explique la paysagiste, lorsque l'on a affaire à de vastes espaces disparates qui réclament une unité formelle.

Des versions modifiées d'un paysage familier ou d'éléments de jardin interviennent fréquemment dans les créations de Schwartz : des matériaux ou objets trouvés dans le commerce sont transformés pour paraître démesurés, ou bien sont vivement colorés, répétés à l'infini, placés de manière incongrue ou encore altérés et déformés. Mais ces métamorphoses ne sont jamais l'effet du caprice ; le concept au cœur du projet occupe toujours le devant de la scène. Autre aspect essentiel du travail de Schwartz : l'utilisation de matériaux nouveaux ou inhabituels, ou encore l'usage original de matériaux qui ont fait leurs preuves comme les brumisateurs, les rondins aux couleurs vives, les globes jaunes d'où jaillit de l'eau, le gravier d'aquarium, le plexiglas coloré, les formes en béton estampées. Des objets extravagants jouent parfois un rôle vedette (une idée empruntée au pop art) : une grenouille kitsch peinte à la bombe dorée, un wagon sans ridelle, une fleur en soie, un drap blanc qui flotte au vent. Bien que ces artefacts puissent sembler étonnants, déroutants, désarmants de banalité, ou comiques, ils ont néanmoins une fonction mûrement réfléchie dans le schéma conceptuel.

L'impression d'artificialité délibérée qui résulte de ces procédés est un aspect important de l'œuvre de Schwartz. Elle se conjugue souvent à un sens de l'humour irrévérencieux, voire surréaliste . Nombre de ses projets feront naître à dessein un sourire, si ce n'est un rire franc et massif. L'idée simpliste que l'humour contredirait ou diluerait le sérieux ou l'importance fondamentale d'un projet lui est insupportable, bien qu'elle soit consciente que parfois, lorsque la plaisanterie est « trop » réussie, certains n'iront jamais voir plus loin. On aurait tort de prendre ces tours comiques à la légère, aussi légèrement qu'ils sont dispensés ; peu de paysagistes, au demeurant, ont suffisamment d'assurance (ou d'humour tout simplement) pour en faire un usage régulier et réussi dans leurs projets. Schwartz est consciente également du lien étroit entre comédie et colère. Elle recourt à une sorte de sarcasme visuel pour évacuer ses agacements face à l'attitude sentimentale de la société à l'égard de la nature, ou à la parcimonie et aux attentes irréalistes d'un client. Sur un plan conceptuel, son objectif est de créer un récit construit de manière cohérente, qui puisse enrichir l'expérience d'un aménagement paysager et de son contexte.

Sur un plan matériel, son but est de créer un environnement que l'on puisse apprécier sans obligatoirement connaître le schéma symbolique qui le sous-tend. La coexistence heureuse de ces deux lectures d'un même projet est une chose difficile à obtenir, mais Schwartz y parvient car elle utilise le niveau conceptuel pour soutenir de manière invisible la réalisation matérielle. Si donc la narration symbolique a pu être d'une importance capitale pour la conceptrice au stade de l'élaboration du schéma visuel, et confère ensuite au lieu sa complétude et sa cohérence, une lecture symbolique ne s'impose pas à tous les visiteurs. Schwartz croit profondément en la légitimité d'une interprétation ouverte de ses créations. Cette approche rigoureusement conceptuelle permet en outre, et de manière assez inattendue, une immense liberté. Elle a fait prendre conscience à Martha Schwartz qu'un paysage ou un jardin, par essence un objet fabriqué, peut « traiter » de n'importe quoi, et que sa dimension intellectuelle n'est certainement pas confinée à la nature, ni même au domaine du visible. Cette révélation l'a incitée à se servir du paysage comme s'il s'agissait d'un médium artistique, et il n'est donc pas étonnant que ses œuvres évoquent souvent bien davantage l'art de l'installation que l'architecture paysagère.

[Les données pratiques] Sans doute le visiteur découvrant par hasard une création de Martha Schwartz – un espace public, le jardin d'une entreprise, une installation artistique ou un jardin privé – éprouve-t-il ravissement et surprise. Mais ce qui caractérise avant tout ces lieux est le pouvoir d'évocation qu'ils exercent sur les personnes qui les utilisent jour après jour. La plupart des commandes de Schwartz concernent des espaces destinés à accueillir un grand nombre de passants ou d'employés qui utilisent ces lieux pour déjeuner, se détendre un peu avant de reprendre leur shopping, donner rendez-vous à des amis ou encore faire une pause café. Schwartz fait souvent remarquer que la preuve ultime du succès d'un projet, c'est l'utilisation réelle et quotidienne de l'espace. Elle sait que tout art public doit satisfaire à un ensemble d'obligations qui ne s'imposent pas à l'espace du musée ou de la galerie. Ainsi, sous la manière exubérante qu'elle a de mettre en scène le produit de son imagination se cache une stratégie pratique axée sur la résolution de problèmes. Il ne s'agit pas d'avoir une idée lumineuse et de tenter ensuite de l'adapter aux nécessités de l'espace : le concept résulte de visites sur place, de recherches, de la prise en compte des desiderata du client et des besoins pratiques des futurs usagers.

Dans cette logique, un aspect aussi pratique que celui qui consiste à prévoir des lieux où s'asseoir revêt une importance aussi grande pour Martha Schwartz que la sauvegarde de son intégrité artistique et de son expression formelle. Même ses projets les plus étonnants comportent des endroits confortables où s'asseoir, seul ou en groupe, au soleil ou à l'ombre. Grâce à ces aménagements, le paysage en milieu urbain retrouve son ancienne fonction de lieu de retraite et de contemplation. On remarquera qu'un grand nombre de ses projets accordent une place centrale aux bancs ou à d'autres formes de siège. Martha Schwartz se soucie également de la psychologie des usagers. Il arrive souvent qu'une personne désire s'attarder quelques instants seulement dans un lieu et non s'y investir résolument en s'asseyant ; c'est pourquoi, à la périphérie de ses aménagements, la paysagiste réserve quelques endroits (autres que des sièges) où il est possible par exemple de s'accouder. De tels agencements lui permettent d'allier avec subtilité espaces privés et espaces publics, ou semi-publics. La gestion de la circulation automobile est un autre aspect ingrat mais essentiel des projets de Martha Schwartz. Beaucoup de places piétonnes sont bordées ou traversées par des voies de circulation, aussi a-t-elle mis au point toute une gamme de mobilier urbain permettant la gestion des véhicules. A chaque fois que cela est possible, elle personnalise ou dessine ses propres bornes, passages piétonniers et autres dispositifs utilitaires de manière à ce que tout ce qui est visible dans l'espace participe à son unité de conception. Mais, dans un aménagement paysager, les automobiles ne sont pas les seules à devoir être dirigées. Un autre souci pratique auquel Martha Schwartz est attentive est en effet le besoin d'orientation et de repère des piétons. Couleurs vives, structures inhabituelles et motifs puissants assurent dans ce type d'aménagement une fonction d'indication du chemin, particulièrement dans les grands espaces ouverts ou à l'intérieur des immeubles de bureaux.

L'une des plus grandes difficultés auxquelles sont confrontés les paysagistes est sans doute celle d'établir une véritable relation avec le client. Bien que tous les designers rencontrent des problèmes dans ce domaine, il faut admettre que la nature provocante de l'œuvre de Martha Schwartz ne facilite en rien les choses. Etre appelée sur un site immédiatement après la construction d'un bâtiment important pour s'entendre dire que la somme allouée au traitement du paysage ou des espaces extérieurs est dérisoire, voire inexistante, l'exaspère au plus haut point. Parfois, les fonds nécessaires à la réalisation ou à l'entretien d'un espace vert aussi minime soit-il n'ont tout simplement pas été prévus dans le budget, de sorte qu'il faut se résoudre à bâtir un projet ne comportant que de la matière inerte. Même un client qui a fait construire un immeuble de bureaux avant-gardiste n'a parfois qu'une idée très vague et conservatrice du type de paysage susceptible de l'accompagner – idée qui se résume généralement à « quelque chose de vert serait parfait ». En outre, une fois que le projet a été accepté, il est fréquent que le client cherche à édulcorer ou à éliminer les propositions, surtout si un changement de personnel est intervenu à la tête de la société. Quelques mois après, cette fontaine-nuage en toile métallique, ces palmiers en acier bleu ne semblent plus aussi séduisants. Martha Schwartz n'a plus qu'à retourner à sa table à dessin ou à laisser tomber ; c'est tout à l'honneur de son agence de ne recourir que rarement à la deuxième solution. Une de ses forces est sa capacité à reprendre des aspects d'un projet sans compromettre son intégrité.

Le style de Martha Schwartz a changé depuis l'époque des années 1980 où elle travaillait en partenariat avec son mari d'alors, le paysagiste Peter Walker. Leur travail, qui se distinguait par un formalisme linéaire et une manipulation de l'espace évoquant Le Nôtre, a certes influencé les premières œuvres en solo de Martha qui dénotent un goût marqué pour la géométrie et les axes réguliers dans un plan traité de manière graphique. Sa formation initiale en gravure n'est pas étrangère à cette méthodologie graphique, et elle n'a jamais abandonné le recours moderniste à la soustraction comme principe directeur. Cependant, c'est son bagage artistique qui a permis à Martha Schwartz de s'éloigner du modernisme pour aborder les rives plus sauvages de l'architecture paysagère et prendre conscience qu'une idée pouvait être réalisée de manière graphique, sculpturale, littérale et symbolique à la fois. Sur le plan professionnel, Martha Schwartz s'est installée confortablement à mi-chemin entre l'activité de plasticienne et celle de paysagiste.

Elle est la figure de proue d'un petit groupe de paysagistes conceptuels comprenant Topher Delaney à San Francisco, Ken Smith à New York (qui travailla en étroite collaboration avec elle pendant plusieurs années) et Claude Cormier à Montréal. En dépit du conservatisme inhérent à la plupart des institutions publiques et des entreprises privées, l'attrait, le pragmatisme, l'économie et l'originalité de l'approche conceptuelle font que cette dernière est de mieux en mieux acceptée. Martha Schwartz a exercé une influence considérable sur la scène du paysage, dans le domaine de l'aménagement de jardins notamment, même si peu de projets de ce type ont vu le jour. C'est en effet elle qui est à l'origine de l'engouement actuel pour les matériaux inhabituels ou artificiels. L'Astroturf, jugé autrefois scandaleux, est par exemple aujourd'hui largement utilisé. Pendant ce temps, Martha Schwartz continue de démontrer non seulement qu'un paysage peut être fait avec n'importe quoi, mais qu'il peut traiter aussi de n'importe quoi.

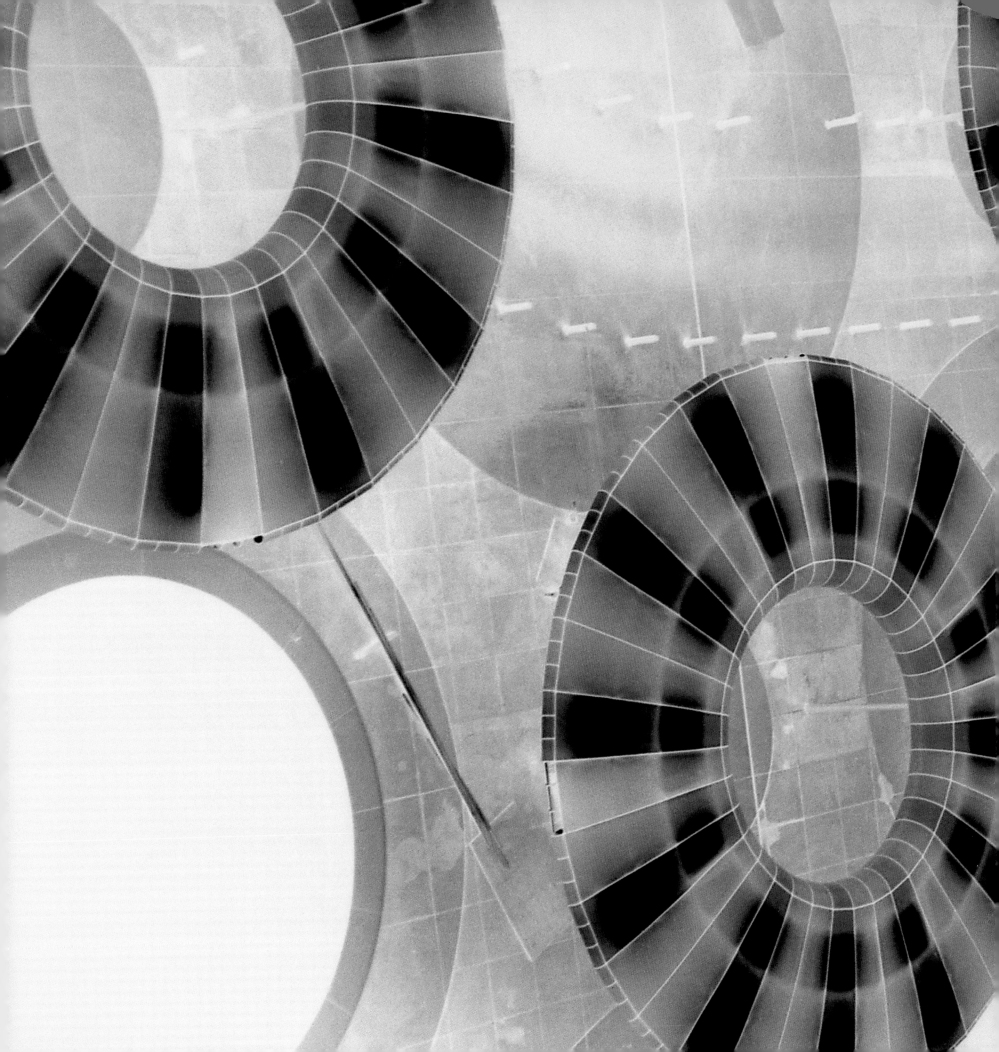

[Retour sur le Bagel Garden, par Martha Schwartz]

Achevé il y a une vingtaine d'années, le Bagel Garden marque probablement le sommet de ma carrière, ce que je n'accepte pas sans mal puisqu'il s'agit de ma toute première conception paysagère. Je doute de jamais réaliser à l'avenir un jardin d'une importance comparable à celui-ci. Pendant des années, j'ai évité de faire des conférences à son sujet parce que je ne voulais pas devenir la paysagiste d'un seul projet. Du fait de sa petite taille et de sa nature temporaire, cette œuvre me semblait trop mineure pour la considérer comme le point de départ d'une carrière. J'avais peur de devenir la « Bagel Lady » et de voir la mention « créatrice du Bagel Garden » gravée sur ma tombe.

Au début de ma carrière, je pensais vraiment que je donnerais naissance à des œuvres plus importantes, plus profondes et plus audacieuses que ce jardin. Au moment de sa réalisation, j'avais l'impression qu'il s'agissait d'un essai timide, d'une esquisse, d'un humble petit travail, mais je me rends compte maintenant que ce petit projet fut un premier et grand pas qui contribua non seulement à lancer ma carrière mais aussi à m'assurer une certaine position dans la profession en créant un précédent qui s'avéra rétrospectivement le point de départ de l'ère post-moderne dans l'architecture paysagère. J'aimerais bien prétendre que telles étaient mes intentions lorsque je conçus ce jardin, mais très franchement, mon premier objectif était de m'amuser et de jouer un tour à l'homme qui était alors mon mari, Peter Walker.

A l'époque, je travaillais à Newton, en apprentissage chez Bill Pressley. J'aimais bien l'équipe de l'agence, mais les projets que nous menions étaient loin de l'art que j'espérais produire. Je m'ennuyais, et l'écart entre mes ambitions d'artiste et le travail qu'on me demandait de faire en tant que paysagiste me frustrait terriblement. La transformation du jardin de notre maison m'apparut alors comme l'occasion rêvée de créer un projet et de garder mes mains et mon imagination occupées. Je n'avais encore jamais réalisé d'installation et, dans les années 1980, l'art de l'installation n'était pas encore une pratique courante. J'allais devoir financer le projet et j'avais peu d'argent ; pire, il me fallait négocier avec Pete pour déterminer lequel de nous deux aurait les droits artistiques sur la conception du jardin. Néanmoins, la seule perspective de faire quelque chose par moi-même et d'élaborer un projet pour ce jardin m'enchantait.

Je décidai d'éviter une confrontation avec Pete et attendis qu'il s'absente pour son travail. Bien que, quelques semaines avant son départ, j'eusse établi une petite unité de vernissage de bagels dans le grenier de notre maison, Pete ne se douta de rien. Sitôt après son départ, au printemps 1979, j'installai rapidement le jardin. Je pensais que ce serait une bonne farce pour l'accueillir à son retour, et comme les bagels étaient disposés temporairement entre les haies de buis, cela ne devait pas porter à conséquence.

A son arrivée, Pete fut accueilli par un groupe d'amis que j'avais invités pour un « dîner sur l'herbe ». Nous étions sur le trottoir en brique en train de regarder le Bagel Garden fraîchement installé tout en sirotant dignement nos mint juleps, quelque peu pompettes. J'avais invité Alan Ward, un photographe talentueux qui avait été l'un de mes camarades de classe à la Graduate School of Design de Harvard, et je lui avais demandé de prendre des photos de l'installation avec sa chambre photographique.

Marie Brenner, journaliste au *New York Magazine*, qui séjournait chez nous cet été-là, me poussa à envoyer les photographies d'Alan à la revue *Landscape Architecture*. Je n'y avais pas songé une seconde, étant donné l'intention et la nature de l'installation. Mais Alan avait transformé le jardin en images fortes, riches en couleurs et détails stupéfiants. Les photographies étaient remarquables en elles-mêmes, et je décidai de les envoyer à la revue, sans compter pour autant sur une réponse.

Grady Clay, le rédacteur en chef de *Landscape Architecture*, me répondit qu'il souhaitait publier les photographies du Bagel Garden et me commanda un article sur le sujet. Je me mis au travail immédiatement en faisant un dessin (qui finit en parodie d'esquisse préparatoire décrivant minutieusement les bagels et la façon dont on devait les disposer dans le jardin) et j'écrivis le texte. Il s'agissait pour l'essentiel d'une critique du malaise artistique dont la profession me semblait atteinte à l'époque et j'y exprimais mon insatisfaction devant les productions des grandes agences. Je défendais simplement l'idée qu'un bagel pouvait être un matériau paysager « adéquat » (l'adéquation était une des grandes préoccupations du moment) : il était bon marché, tout le monde pouvait l'installer, c'était un « matériau démocratique », qui supportait l'ombre, n'avait pas besoin d'arrosage, etc. Quelques mois plus tard, mon texte fut publié.

Autre fait curieux dans l'histoire du Bagel Garden : Grady décida de mettre la photographie d'Alan en couverture. Grady dut plus tard assumer les conséquences de cette décision terriblement audacieuse par son caractère prémonitoire et risqué. Beaucoup de paysagistes furieux, considérant que ce jardin était indigne de la profession, résilièrent leur abonnement. Le Bagel Garden mit également Grady en conflit avec la majorité des membres de l'American Society of Landscape Architects (éditeur de la revue) et

24

il dut quitter son poste de rédacteur en chef. La publication de l'article m'avait fait passer quant à moi de l'anonymat à la célébrité, c'était mon quart d'heure de gloire, mais mes sentiments étaient partagés.

Dans le numéro suivant de *Landscape Architecture*, la rubrique « Cuts and Fills », habituellement assez molle (l'hémisphère nord tout entier aurait pu changer de paysage qu'elle n'aurait cité que deux ou trois lettres de lecteurs), était entièrement consacrée aux réactions suscitées par le Bagel Garden. Le jardin provoqua en effet un débat passionné sur son sérieux, son importance, sa pertinence et son sens. Certains y voyaient la preuve de l'égarement de toute une profession ; c'était le mal incarné. Après vingt ans d'efforts pour faire de l'architecture paysagère une activité sérieuse de nature scientifique, la publication de l'article était ressentie comme un affront par de nombreux praticiens. La revue et moi-même étions accusés de déprécier et d'avilir l'architecture. D'autres lecteurs pensaient au contraire que mon jardin était une grande bouffée d'air salutaire. La critique la plus drôle disait que j'avais « fait tout cela pour l'argent » (il se trouve, en fait, que cette « ruse » ne fut pas un moyen viable de s'enrichir rapidement). Je suis certaine que beaucoup espéraient que je m'évanouirais dans la nature et qu'on n'entendrait plus jamais parler de moi.

J'ai beaucoup appris du succès – ou de la notoriété – que m'a valu cette publication, et la promotion du jardin a orienté mon travail ultérieur. Avec le temps, j'ai compris que la seule décision professionnelle véritablement astucieuse et majeure que j'aie jamais prise est celle d'avoir demandé à Alan Ward de prendre l'installation en photo. Sans le savoir, j'avais senti que c'était un événement – un « happening » comme on dirait aujourd'hui – et que sa réalité matérielle ne durerait qu'un très court instant. Mes études de photographie à l'école d'art m'avaient appris la puissance de l'image, et je considérais la photographie comme un art à part entière. C'est en grande partie au talent d'Alan que le Bagel Garden doit son existence en tant qu'image et idée.

Le Bagel Garden a surgi au début de l'ascension des médias et de notre entrée dans l'ère de l'information. C'était la première fois qu'un travail paysager était mis en vedette (ou au pilori) par le biais, quasi exclusivement, d'une image et des médias. Ce jardin a marqué le début d'une plus grande visibilité de l'architecture paysagère, et je pense qu'il a incité de nombreux jeunes designers à envisager le paysage comme un domaine passionnant du design. Si, pour beaucoup, l'exposition médiatique n'est pas un moyen valable de juger de l'architecture paysagère – l'architecture ne semble pas quant à elle s'en soucier –, il n'en demeure pas moins que c'est principalement grâce aux médias que les professions du design sont aujourd'hui florissantes. L'image a montré qu'elle était un puissant vecteur de transmission des idées et de l'information. La plupart d'entre nous n'ont vu des paysages qu'en images. Si cela ne remplace pas l'expérience réelle, c'est malgré tout mieux que de ne rien voir du tout.

Les photographies d'Alan Ward ont inscrit
le Bagel Garden dans l'histoire. Sans elles,
cette petite installation serait restée
ignorée. Elles montrent la beauté des verts
et des pourpres de l'érable, ainsi que le
gravier coloré, qui donnent à ces drôles de
petits pains un air sombre et solennel.

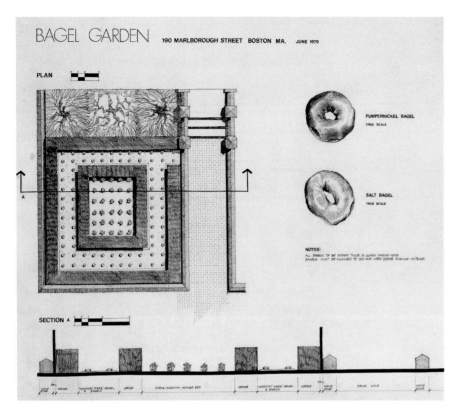

Plan et coupe parodiant les dessins conventionnels en la matière. Ils décrivent méticuleusement la façon dont il faut disposer des bagels dans un jardin.

Couverture de *Landscape Architecture*, janvier 1980. Le fait que le Bagel Garden ait eu les honneurs d'une couverture provoqua autant la polémique que le jardin lui-même.

Le Bagel Garden s'inscrit dans la configuration des jardins de Back Bay à Boston. Les haies de buis et l'érable étaient déjà en place.

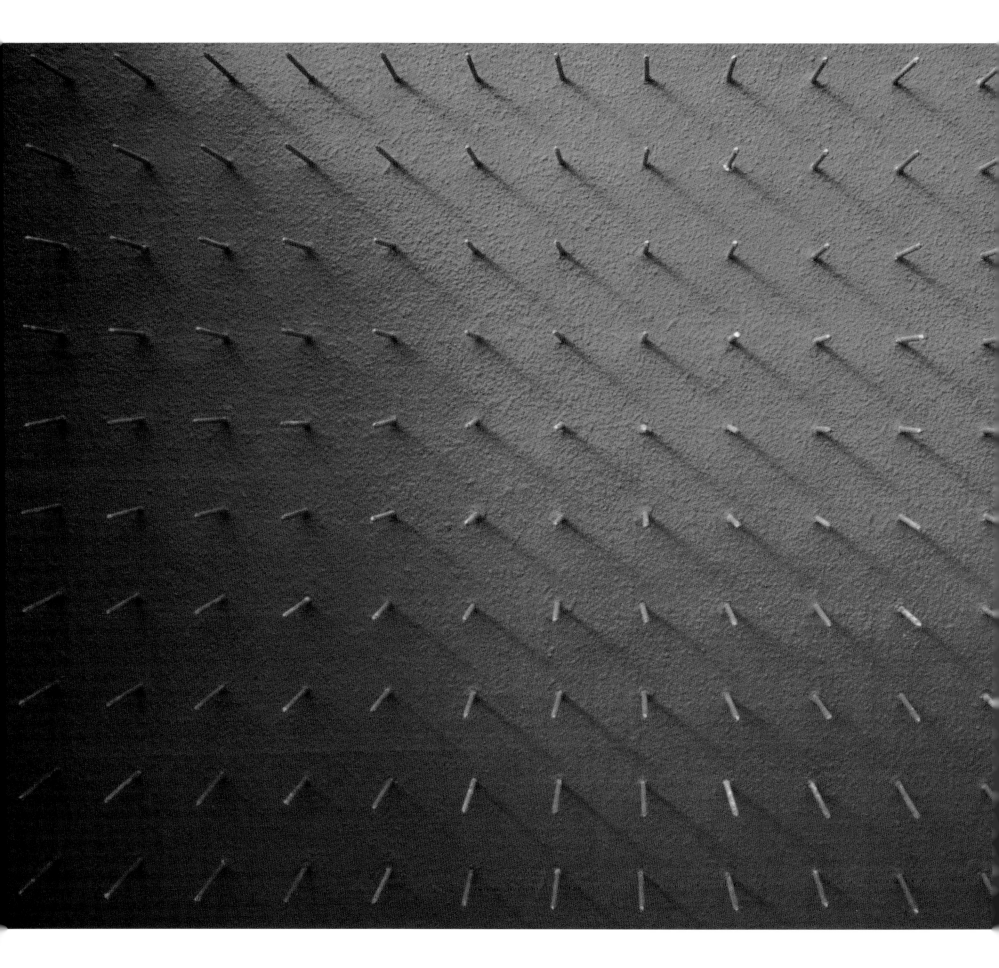

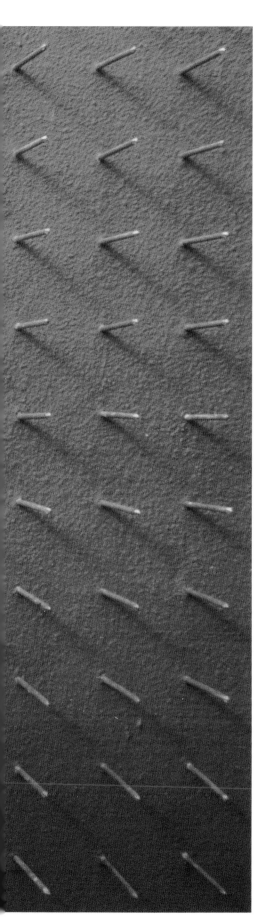

une série de **boîtes** interconnectées abritent clous, cailloux, éclats de verre et étagères

Davis Residence

El Paso, Texas 1996
Client : Sam Davis

Un ensemble de six pièces-jardins à ciel ouvert et aux couleurs vives occupe un rectangle clos de 11 x 18 mètres dans un coin d'un jardin d'El Paso. Cela faisait vingt-cinq ans que les propriétaires, Anne et Sam Davis, travaillaient à la création d'un jardin anglais inspiré de Sissinghurst mais à base de plantes du désert. Anne Davis a eu l'idée de créer un contraste entre ce jardin traditionnel et un projet de Martha Schwartz destiné à occuper un rectangle peu attrayant, situé entre le garage et le jardin. Les instructions tenaient en une phrase : « Vous pouvez faire ce que vous voulez du moment que cela reste dans les limites de la boîte. »

À partir de cette notion de « boîte », Schwartz imagina ce dérivé de jardin mexicain traditionnel avec ses murs colorés, ses massifs de cactus et ses cours ensoleillées entrevues par des petites fenêtres carrées découpées dans les murs. L'influence de Luis Barragán est évidente et pleinement assumée, tout comme celle des espaces formant des pièces en plein air sans toit du minimaliste Donald Judd, à Marfa (Texas). Mais le concept de base est celui du confinement. La paysagiste déclare : « La boîte était un élément si prégnant qu'il était impossible de l'ignorer. J'ai essayé d'intégrer la boîte – les quatre murs de départ – en plaçant en son sein d'autres boîtes. Cela permettait de faire oublier les affreux murs initiaux. »

Chacune des pièces contient un propos symbolique différent, exprimé par le biais de la pierre, du métal ou de cactées. Une herse terrifiante de pointes de 30 centimètres sortant des murs de l'une des pièces fait référence aux barbelés de la frontière toute proche avec le Mexique ; un cône de gravier fait écho aux Rocheuses et aux terrils locaux d'origine industrielle ; des éclats de verre bleu alignés sur la crête d'un mur rappellent les dispositifs de protection des villas urbaines contre les voleurs ; une rangée de cactus phalliques occupe, de manière impérieuse, menaçante et humoristique à la fois, l'espace tapissé de miroirs destiné à être le vestiaire de la piscine adjacente.

D'après Martha Schwartz, le jardin fut moins conçu comme un hommage au Mexique que dans l'esprit d'une folie anglaise du XVIIIe siècle – « un jouet ou un objet d'amusement placé dans un cadre naturaliste » –, une comparaison qui ravit les propriétaires. « Aujourd'hui, les choses qui se sont passées à l'intérieur de la boîte se sont propagées dans le reste du jardin – des échos structurels, tel ce nouveau mur en stuc. Les Davis ont maintenant un jardin intégré. »

Image de synthèse [ci-dessus], une des premières réalisées à l'agence par Rick Casteel, montrant un bassin linéaire en remplacement du bassin existant en forme d'amibe.

Vue [à droite] des six boîtes ou pièces, depuis la piscine. Les éclats de verre protègent l'espace le plus intime, la salle de bains.

Vue des boîtes depuis la piscine [ci-dessous], et
vue du jardin depuis le jardin à l'anglaise [en bas].

L'intérieur de cette pièce est tapissé de clous menaçants. Martha Schwartz explique que, conformément au souhait des clients d'utiliser des cactus, cette pièce est elle-même un cactus architectural. On peut aussi s'en servir pour suspendre des vêtements et faire sécher maillots de bain et serviettes.

La pièce du milieu au « cœur » de la composition. C'est un amoncellement de cailloux de granit provenant du sous-sol de la région. La forme du tas rappelle les montagnes environnantes. Les murs peints en or évoquent quelque chose de sacré ou de précieux.

Les couloirs sont un élément important de la composition. Ils font penser aux jardins labyrinthes. De petites places accentuent la confusion entre intérieur et extérieur, public et privé.

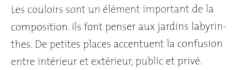

Au sommet d'un mur, dans un espace étroit et tout en longueur, Martha Schwartz a placé des blocs de verre grossièrement taillés qui remplissent une double fonction. D'une part, ils protègent contre les intrus, de l'autre, le verre bleu réfracte la lumière sur les murs blancs pour le pur plaisir des yeux.

La pièce aux saguaros est la plus spirituelle
de toutes car, pour les Indiens, ces cactus
renferment des esprits humains.

Le vestiaire, où l'on se déshabille et se rhabille devant un mur miroir.
Les minuscules ouvertures carrées sont alignées de sorte que l'on
puisse voir le jardin du voisin.

la pureté des **mathématiques**
sous forme de gaufrettes Necco

Necco Garden

Cambridge, Massachusetts 1980

Client : Massachusetts Institute of Technology ; design : Martha Schwartz, Inc. avec Peter Walker

Cette installation, conçue pour ne durer qu'une journée – celle du 1er Mai –, comprenait un motif géométrique entièrement fait de gaufrettes Necco (un célèbre biscuit américain) offertes par la New England Candy Company dont les usines se trouvent non loin de là. Le biscuit n'avait aucun rôle symbolique : « Il ne s'agissait pas tant d'un commentaire social que de géométries et d'un conflit d'axes », explique Martha Schwartz.

Un quadrillage recouvrait la Killian Court du MIT, tandis qu'un autre axe était dirigé vers une nouvelle œuvre de Michael Heizer tout juste installée sur un des côtés de la cour. La référence historique – récurrente dans le travail de Schwartz – est celle du jardin français classique du XVIIe siècle : l'espace est ordonné par un découpage régulier du plan horizontal du sol, par l'emploi d'objets en série et par le recours à des lignes parallèles qui exagèrent les distances. La thématique mathématique reflètait la fonction de recherche du MIT tandis que le dessin s'harmonisait avec la grandeur et la solennité de l'architecture du Great Court, tout en renvoyant au contexte urbain du plan quadrillé de Back Bay Boston, visible sur l'autre rive de la Charles River.

Des pneus usés et crevés furent collectés pendant plusieurs semaines puis peints à l'aérosol dans des couleurs correspondant exactement à celles des gaufrettes Necco. On s'aperçut qu'il fallait d'abord les enduire d'une sous-couche blanche.

Nancy Dilland dispose soigneusement les gaufrettes en s'aidant de cordeaux [à gauche]. Les gaufrettes au chocolat et à la réglisse furent éliminées parce que les couleurs sombres (brun et noir) ressortaient mal sur le fond d'herbe.

Si, de par leur grande taille, les pneus formaient une géométrie spatiale impeccable, les petits biscuits étaient quant à eux quelque peu bousculés par l'herbe et dessinaient des lignes irrégulières, moins heureuses que celles des pneus. Pour la paysagiste, les installations temporaires comme celle-ci sont une excellente occasion d'expérimenter et d'apprendre.

Le jardin une heure avant son achèvement et le début d'un tournoi
de frisbee.

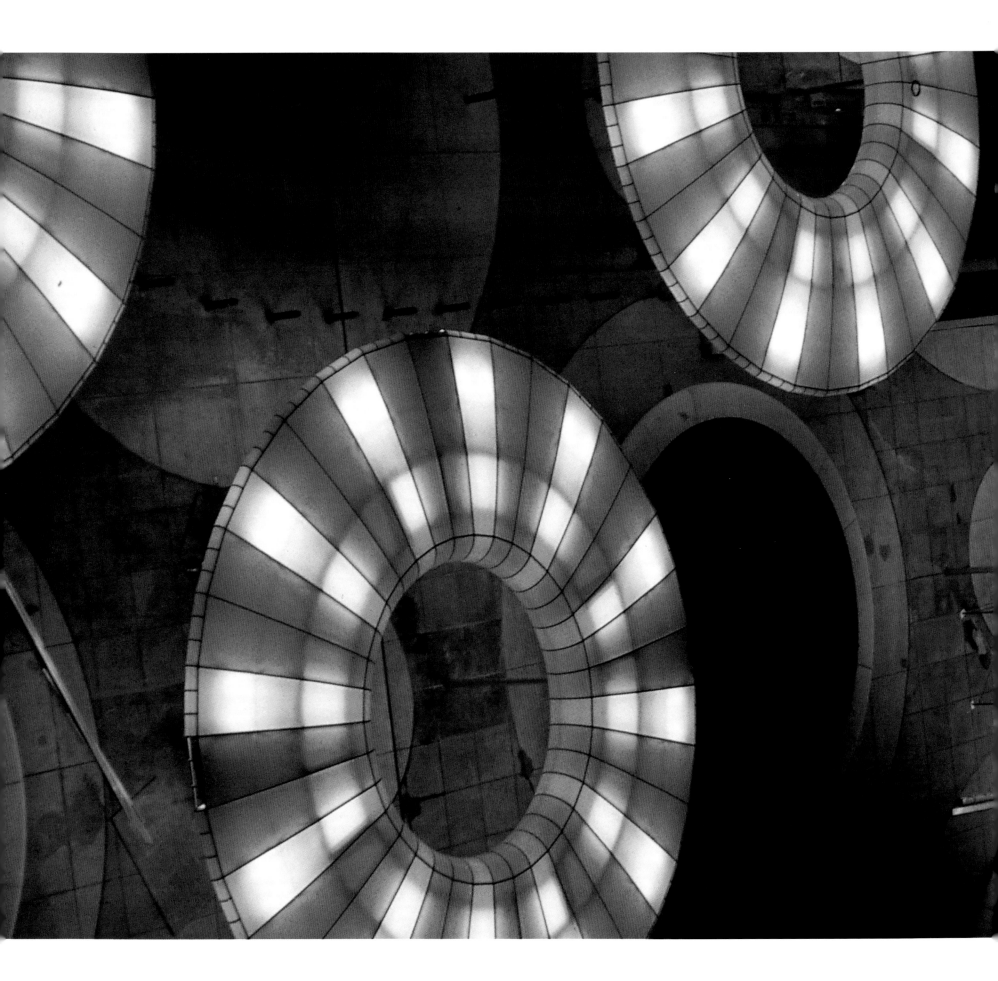

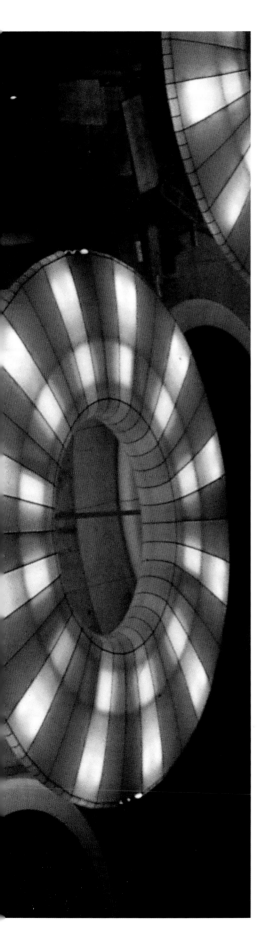

cercles dans l'air et sur terre

HUD Plaza Improvements

Washington, DC 1998
Client : US General Services Administration

Le bâtiment conçu par Marcel Breuer pour abriter le Department of Housing and Urban Development (HUD) à Washington date de 1968. Il est doté d'une façade particulièrement texturée, mais son aire d'accès de 2,4 hectares n'a comporté pendant presque vingt ans aucun arbre ni aménagement pour le public. L'esplanade était destinée à mettre en valeur l'édifice mais elle était pratiquement inutilisable par les 4800 employés du HUD et contribuait à donner de cette administration une mauvaise image renforcée par un mur plein en pierre sombre à la base de l'édifice qui interdisait tout contact visuel entre l'intérieur et l'extérieur du bâtiment. En 1998, le HUD décida de remédier à la désolation de ce paysage et de ranimer l'esplanade par le biais d'un nouvel aménagement qui devait aussi témoigner de la mission de l'agence gouvernementale – créer des espaces habitables pour la population.

Un projet de « jardin flottant » à base de formes circulaires répétées – rappelant les motifs géométriques dans le bâtiment de Breuer – vit le jour. Selon Schwartz, « Breuer était plus que présent. Nous nous sommes plongés dans son travail et en avons retiré le concept des cercles ; il adorait les motifs circulaires. Au Whitney Museum, par exemple, il a mis des luminaires circulaires. Il aimait aussi la forme pure, et nous avons pensé que le cercle ferait écho à son architecture. Ensuite nous avons choisi des couleurs en utilisant l'apprêt qu'il avait imaginé : bleu de cobalt, vermillon et un jaune orangé vif. Enfin, je voulais que l'installation paraisse très, très légère, presque flottante, par opposition au "brutalisme moderne" de ce bloc massif posé sur des pilotis évasés ».

La place est transformée par un puissant marquage du sol, une série de bacs en béton contenant de l'herbe, et des dais annulaires. Les bacs de 9 mètres de diamètre – que Schwartz appelle « cookies d'herbe » – font également office de bancs et semblent flotter au-dessus du sol.

Les baldaquins, fabriqués en toile plastique recouverte de vinyle, sont positionnés à 4,2 mètres du sol et reposent sur des poteaux en acier. Cette aire recouvre un parking souterrain et n'a pas été conçue à l'origine pour supporter la terre nécessaire à la plantation d'arbres ; les baldaquins font donc office d'arbres en fournissant de l'ombre et en assurant une protection visuelle contre les regards venant des bureaux. Ces éléments « flottants » contribuent en outre à maintenir le lien initial entre la place et les pilotis du bâtiment de Breuer.

Le projet initial de Schwartz prévoyait que les baldaquins soient colorés mais ce n'était pas du goût du nouveau responsable du HUD nommé pendant la phase de réalisation. Pour éviter un procès, on se mit d'accord sur un blanc pur. « Nous vivons dans une société qui a la phobie des couleurs, commente Schwartz. Le nouveau responsable craignait que les couleurs attirent l'attention. Il craignait que le tout manque de dignité ou paraisse frivole. Je ne pense pas qu'une femme aurait réagi de cette façon. Le nouveau système chromatique change le caractère de l'esplanade : elle est plus réservée, plus froide, plus fédérale. Très Washington. J'aurais préféré qu'elle soit comme on l'avait conçue initialement, mais je l'aime en blanc également. Ça donne un air plus frais à l'endroit. »

Eclairés de l'intérieur, les baldaquins brillent dans la nuit, rappelant les lanternes des allées des jardins japonais. Un tube en fibre optique jette une lumière colorée sous les bacs, donnant l'impression qu'ils flottent sur un nuage de lumière. Schwartz avait également prévu que le mur sombre de Breuer soit recouvert d'un mural photographique rétroéclairé, constitué de portraits d'employés du HUD, mais cette impressionnante toile de fond fut elle aussi écartée par crainte de critiques sur la façon dont l'institution gérait son budget à un moment où elle-même faisait l'objet de contrôles.

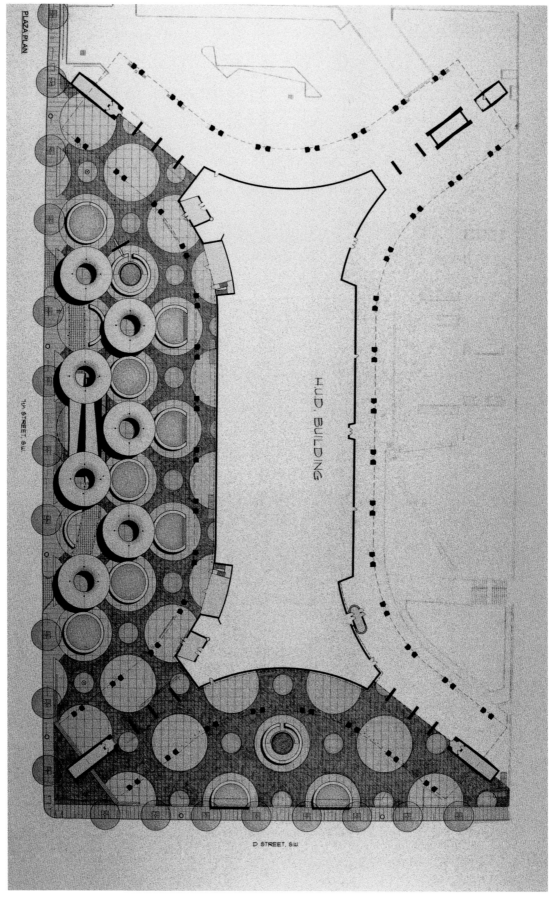

Plan des esplanades sud et nord avec le jardin
flottant de cercles, un motif « autorisé » par
l'architecte du bâtiment, Marcel Breuer.

Images du projet initial pour la place [ci-dessus]. La couleur avait été demandée par le responsable du HUD de l'époque, Henry Cisneros, pour illustrer la diversité ethnique des employés de cette administration. Elle fut écartée par son successeur, Andrew Cuomo.

Les baldaquins [à gauche] ont été réalisés avec le même plastique vinylique standard dont on se sert pour les auvents de commerces. Grâce à la grande translucidité de cette toile, les disques brillent comme des bouées lumineuses dans l'océan nocturne [ci-dessous]. Les bordures préfabriquées en béton de 0,9 m de large offrent des endroits pour s'asseoir autour des cercles de gazon [en bas].

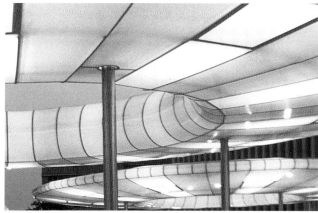

des lignes droites pour **soigner** un espace saccagé

Limed Parterre With Skywriter

Cambridge, Massachusetts 1988
Client : Office for the Arts, Harvard et Radcliffe

L'université d'Harvard passa commande d'une œuvre d'art public afin de marquer la restauration de la cour de Moors Hall, une résidence universitaire néoclassique. Contre toute attente, l'installation d'une journée imaginée par Martha Schwartz ne fut pas une célébration mais une critique des travaux réalisés.

« Cette installation était un geste thérapeutique, explique-t-elle. Ce que nous avons tenté de réparer, c'était les dégâts causés par l'adjonction d'un nouveau réfectoire au sous-sol du bâtiment. Pour qu'il ne soit plus souterrain et que la lumière du jour pénètre dans la cafétéria, ils ont ouvert une tranchée dans la pelouse du quadrilatère et construit une rampe. Ceci a complètement défiguré le paysage, et

personne ne s'est levé pour le défendre. Personne, à l'université, ne pensait que c'était important. »

Pour rétablir le contact entre le bâtiment et le quadrilatère, et pour souligner combien la planéité de l'espace avait été auparavant un élément important, les six « pilastres » de la façade de Moors Hall furent recouverts de peinture blanche, puis prolongés sur la cafétéria et enfin sur toute la longueur de la pelouse. Pour Schwartz, il s'agissait d' « un grand sparadrap ». Un meeting aérien avait lieu le même jour ; l'intention (non réalisée) était de doubler les bandes du quadrilatère par six traînées de gaz convergeant à l'horizon à 1 500 pieds d'altitude.

Les pilastres du bâtiment furent prolongés sur le toit de la nouvelle cafétéria, le long de sa façade et sur toute la longueur de la pelouse. Schwartz considère ce geste comme un grand sparadrap qui rétablit le lien entre la pelouse et le bâtiment ancien, une unité qui avait été détruite par la nouvelle construction.

L'artiste Ross Miller a ajouté un niveau au parterre [ci-dessous] en plaçant çà et là des tables de pique-nique de sa création pour suggérer différentes possibilités d'interaction sociale. Schwartz a fait passer les lignes blanches sur une des tables de Miller afin de créer un point d'interaction entre les deux installations.

un paysage plat de **motifs** linéaires

Center for Innovative Technology

Fairfax, Virginie 1988

Client : Center for Innovative Technology

« Ceci fut la première commande que je reçus d'un architecte – c'était la première fois qu'on me demandait de faire quelque chose de réel », se rappelle Martha Schwartz. La base graphique de ce projet d'aménagement d'un toit évoque la tonalité moderniste plus conventionnelle de son travail antérieur en association avec Peter Walker. « C'était un projet simple qui consistait à structurer entièrement la surface. Avec le temps, j'ai pris confiance sur le plan sculptural », dit-elle.

Ce paysage plat de motifs linéaires comprend des bandes de gravier alternant avec du pâturin, un quadrillage de boules réfléchissantes sous un bosquet de tilleuls et un patio-réfectoire. S'incurvant légèrement sur un côté, le bosquet est planté dans du gravier concassé lie-de-vin traversé de bandes de pierres disjointes semblables à des allées de jardin. Dans le bosquet, les rangées de globes en verre bleu réfléchissant paraissent comme des morceaux de la façade du bâtiment et font penser à des fleurs sous les arbres. Des blocs en béton gris et or disposés au hasard forment une aire dont la forme en parallélogramme rappelle celle de la tour du site. Près de la cafétéria, un damier de béton en dalles claires et sombres délimite un patio.

« C'est ici que j'ai commencé à apprendre, déclare Martha Schwartz. Il y avait très peu d'endroits où l'on pouvait planter des arbres. L'idée a consisté à prendre le motif de cet édifice incroyable – un genre de pyramide renversée avec une série de zones en verre coloré – et de le transposer au sol. Mais nous avons dû nous bagarrer avec le client. C'est significatif : il avait commandé un bâtiment délirant, mais pour ce qui est du paysage, il était resté très conservateur. »

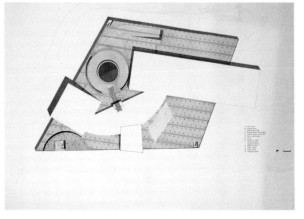

Le plan initial [à gauche] prévoyait que les bâtiments, situés au-dessus d'un parking, seraient entourés d'un champ strié de hautes herbes. Ce projet s'avéra irréalisable à cause du manque d'épaisseur du sol. Du gazon et du gravier furent utilisés à la place.

Les boules bleues réfléchissantes furent installées longtemps après
l'achèvement des travaux, car le client craignait qu'elles ne soient
trop déroutantes. Le fait qu'elles n'aient pas de véritable fonction
(elles ne pouvaient pas servir de siège ou d'éclairage, par exemple)
posait également problème. Schwartz installa provisoirement une
première ligne de boules jusqu'à ce que le client s'habitue à l'idée.
C'est alors que les autres furent posées.

l'**horizontal** à l'assaut du vertical

Turf Parterre Garden
New York City, New York 1988
Pour l'exposition « The New Urban Landscape » ; sponsor : Olympia and York

L'une des installations les plus réussies de Martha Schwartz fut conçue pour l'exposition « The New Urban Landscape » réunissant trente artistes et architectes à l'occasion de l'inauguration du World Financial Center dans Lower Manhattan.

La façade du complexe financier dessinée par l'architecte Cesar Pelli se distingue par un quadrillage de fenêtres carrées sur fond de granit. L'idée de Schwartz était de reprendre le motif de la façade pour l'apposer à nouveau sur l'édifice, mais sous forme de jardin. Des carrés furent découpés dans la pelouse, reproduisant ainsi au sol le motif de la façade, et des dalles carrées d'Astroturf furent collées de manière décalée sur le bâtiment.

« Ici, note la paysagiste, le sujet était le paysage urbain. Battery Park City est essentiellement un aménagement suburbain, avec son carré de pelouse obligé, plaqué sur Lower Manhattan. Dans ce contexte, il est totalement hors sujet. Il n'y a pas de différence entre le sol et la façade parce que le sol n'a pas de sens. L'idée de Pelli était d'envelopper ces immeubles d'un papier peint de fenêtres en série. Mon idée était de tapisser son papier peint en découpant un morceau du paysage romantique pour le plaquer sur l'édifice. »

Le Turf Parterre Garden est emblématique de l'attitude de Martha Schwartz envers les modes de création paysagère plus naturalistes. « Je n'aime pas faire du naturalisme parce que je considère que c'est du toc. C'est du pastiche, du sentiment, ça évite de se poser la question du paysage, de la façon dont nous l'occupons et le construisons. Le naturalisme est une manière d'esquiver cette réalité. Je pense aussi que c'est un style historique, et je ne vois pas pourquoi on irait rechercher un style vieux de cent ans. Cette approche ne me paraît pas honnête. Ce qui est honnête, c'est de se confronter au monde tel qu'il est aujourd'hui. Le naturalisme – l'idée que la nature réelle est tout autour de nous – est un leurre. Ça ressemble à une dîme symbolique versée à l'environnement, ça n'a aucun sens. »

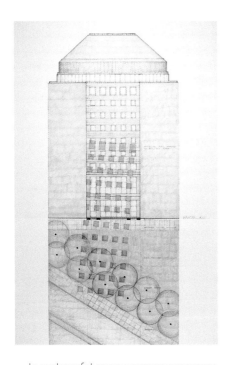

Le parterre fut conçu comme un morceau
de papier peint paysager appliqué sur le
papier peint architectural des immeubles.
C'était, selon l'expression de Schwartz, du
« papier peint sur du papier peint ».

L'idée était de donner l'impression que des plaques de gazon avaient été découpées et collées sur la façade.

évolution sérielle d'une **ligne**

Becton Dickinson

San Jose, Californie 1990

Client : Becton Dickinson Immunocytrometry Division ; architectes : Gensler Architects

Ce projet ne comporte aucun lien métaphorique entre le design paysager et la fonction de l'institution même si la méthodologie théorique de Schwartz était tout à fait appropriée aux travaux de recherche médicale effectués par le centre. « Je voulais exprimer le concept de ligne. C'est presque une œuvre mathématique, sérielle. Il s'agit d'une équation simple, mais quand on l'applique, elle donne des choses amusantes. »

La zone à aménager était un long et étroit espace vitré entre de grands bâtiments, utilisé pour les réunions et les pauses. Douze pièces-jardins, cernées de treillis blancs plantés de ficus pour créer des bancs-haies, s'élèvent graduellement d'une extrémité à l'autre du passage. La pièce-jardin la plus petite mesure 1,2 mètre de côté sur 15,5 centimètres de haut ; la plus grande fait 7,2 mètres de côté avec une haie de 4,8 mètres de haut. Les plus basses offrent de quoi s'asseoir aux usagers de la cafétéria attenante. Les pièces les plus vastes peuvent abriter des réunions à l'écart des regards et comportent des bassins réfléchissants en béton peint agrémentés de sansevières à feuilles pointues. Posés sur la bordure carrelée servant de siège, des globes jaunes projettent un filet d'eau.

Une colonnade de palmiers Caryota Mitis souligne l'axe central de l'atrium. Le sol, en béton coulé, est recouvert de bandes noires et vertes. Ce motif est repris à l'extérieur du bâtiment pour ordonner la cour d'arrivée des voitures au milieu de laquelle se trouve un dôme couvert d'une double spirale de rochers et de ficus.

Un monticule légèrement incliné est orné d'une double spirale de pierres et de haies et forme un rond-point à l'entrée du bâtiment de Becton Dickinson.

De grands rectangles en lattes de bois
forment une sorte de structure en treillis
servant de support à une haie grimpante.
De petites plantes, presque invisibles
à l'époque de la prise de vue, ont depuis
recouvert les treillis blancs pour former
un mur de verdure.

Dans cette œuvre à progression sérielle, la « haie » va d'unités spatiales grandes et hautes (salles de réunion) à des unités petites et basses (vers la cafétéria). A cette extrémité de la série, les petits îlots orange plantés de langues de belle-mère *(Sansevieria trifasciata)* évoquent des flambeaux.

une grande **courbe** enveloppe un espace urbain

Exchange Square

Manchester, Royaume-Uni 2000
Client : Manchester Millennium

Ce site vaguement triangulaire et pentu est coincé entre des boutiques, des bureaux, le Corn Exchange, une route et un vieux pub. L'attentat à la bombe de l'IRA, qui dévasta en 1996 le centre de Manchester, fut le point de départ de sa rénovation. La nouvelle place, dont l'un des côtés est entièrement occupé par un magasin Marks & Spencer, marque la frontière entre la zone de la vieille cathédrale et un quartier commerçant flambant neuf.

« Il s'agissait en quelque sorte de recoller deux morceaux de la ville. La partie haute, proche du quartier moderne, est plus froide, avec du béton, de l'acier et du granit. La partie basse, vers la cathédrale, est faite en poudingue jaune. » De la donnée essentielle du site – son caractère pentu – est sortie l'élément structurel majeur : une série de chemins, ou rampes, incurvés qui s'abaissent en arcs de cercle à travers la place, séparés par des murets qui servent également de bancs. Il en résulte un effet d'amphithéâtre de faible incurvation, agréable à traverser. Schwartz estime que « lorsqu'un espace public est réussi, il permet aux gens de se rassembler et de s'asseoir, de se promener sans but, seuls ou en groupe. Les gens veulent avoir le choix, un espace devrait être conçu pour permettre un maximum d'usages – solennels ou informels, organisés ou spontanés. Il devrait encourager les activités traditionnelles et inspirer de nouveaux usages. L'espace doit être un fond quand les gens l'utilisent et un premier plan quand il est désert ».

Un escalier situé à l'extrémité haute des rampes relie directement la partie commerçante à la zone de la cathédrale. Traversant toute la largeur de la place depuis le point bas des marches, un lit de rivière stylisé en pierres disjointes est ponctué de fontaines basses et bouillonnantes et bordé de bouleaux rouges. Cet élément suit le tracé d'un fossé médiéval, le Hanging Ditch, lequel servait déjà de frontière.

La partie haute de la place est pavée de granit et offre des endroits où s'asseoir assez originaux : des wagons découverts de couleur bleue, à grandes roues, posés sur des « voies » stylisées – une allusion au rôle de la ville dans la révolution industrielle et à sa fonction de plaque tournante des transports. Ces wagons devaient à l'origine pouvoir rouler sur de vraies voies, mais cette partie de l'aménagement fut écartée par les édiles qui, de façon plus contestable, rejetèrent également deux autres idées : des blocs en plexiglas renfermant des objets trouvés sur le site au cours de la construction et une entrée marquée par un bosquet de faux palmiers en métal bleu de 9 mètres de haut.

Ces décisions portaient bien sûr atteinte à l'intégrité du projet, mais Martha Schwartz resta fidèle à sa politique de persévérance et de compromis. L'essentiel était que le plan revu et corrigé remplisse tous les critères d'un bon espace public. « Il doit être suffisamment attirant pour que les gens aient envie de le découvrir. Il doit "fonctionner" tout seul et ne pas avoir besoin d'être occupé pour avoir de l'allure. De même, il ne faut pas trop insister sur l'intimité. Les gens aiment se regarder les uns les autres, sans que l'endroit soit manifestement fait pour ça. Personne ne veut être le premier à s'asseoir dans un espace découvert, aussi faut-il penser à ce problème. Il y a aussi le plaisir de pouvoir s'asseoir sur des choses qui ne semblent pas destinées à cet usage ; souvent, les gens aiment bien se jucher sur des perchoirs. Ils aiment avoir la possibilité de s'asseoir en différents endroits, à l'ombre ou au soleil. Une place est fondamentalement faite pour les gens. Un espace est réussi si les gens l'utilisent. Les communautés, les villes et surtout les individus se forment une image d'eux-mêmes en tant qu'habitants à partir de ces lieux publics. »

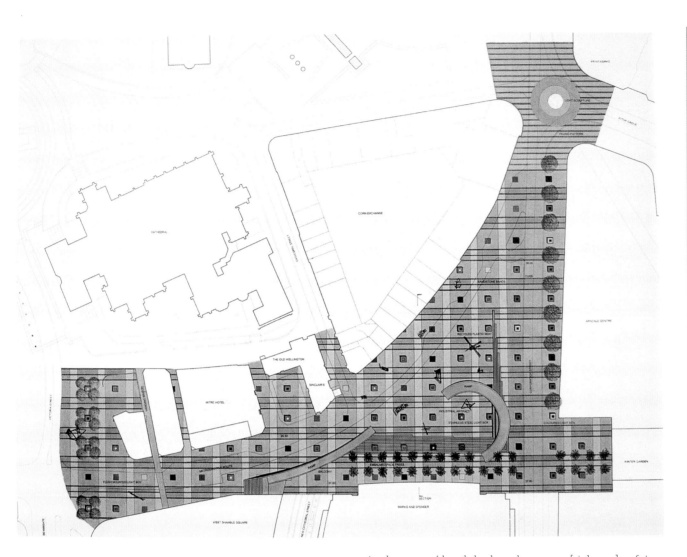

74

Le plan proposé lors de la phase de concours [ci-dessus] ne fut pas retenu. Il mettait en œuvre un autre concept d'échelonnement de l'espace, avec une aire principale en contrebas du grand magasin et au même niveau que le Corn Exchange. Le plan finalement retenu plaçait l'espace principal au niveau même du grand magasin.

Le projet initial prévoyait d'installer des objets industriels en tant que sculptures [ci-dessous et à droite].

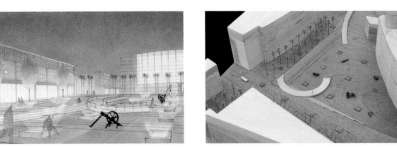

Les enfants viennent jouer sur le
nouveau Hanging Ditch.

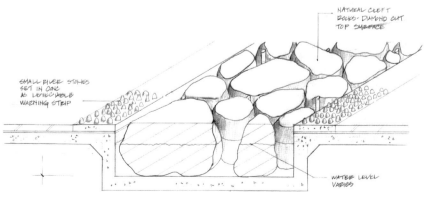

NATURAL CLEFT
ROCKS- DIAMOND CUT
TOP SURFACE

SMALL RIVER STONES
SET IN CONC
AS LEVEL/TABLE
WARNING STRIP

WATER LEVEL
VARIES

SCALE 1:10

La source du Hanging Ditch fut conçue de manière à donner l'impression que les canalisations souterraines qui captaient l'ancien cours d'eau remontaient à la surface pour laisser de nouveau couler l'eau à l'air libre.

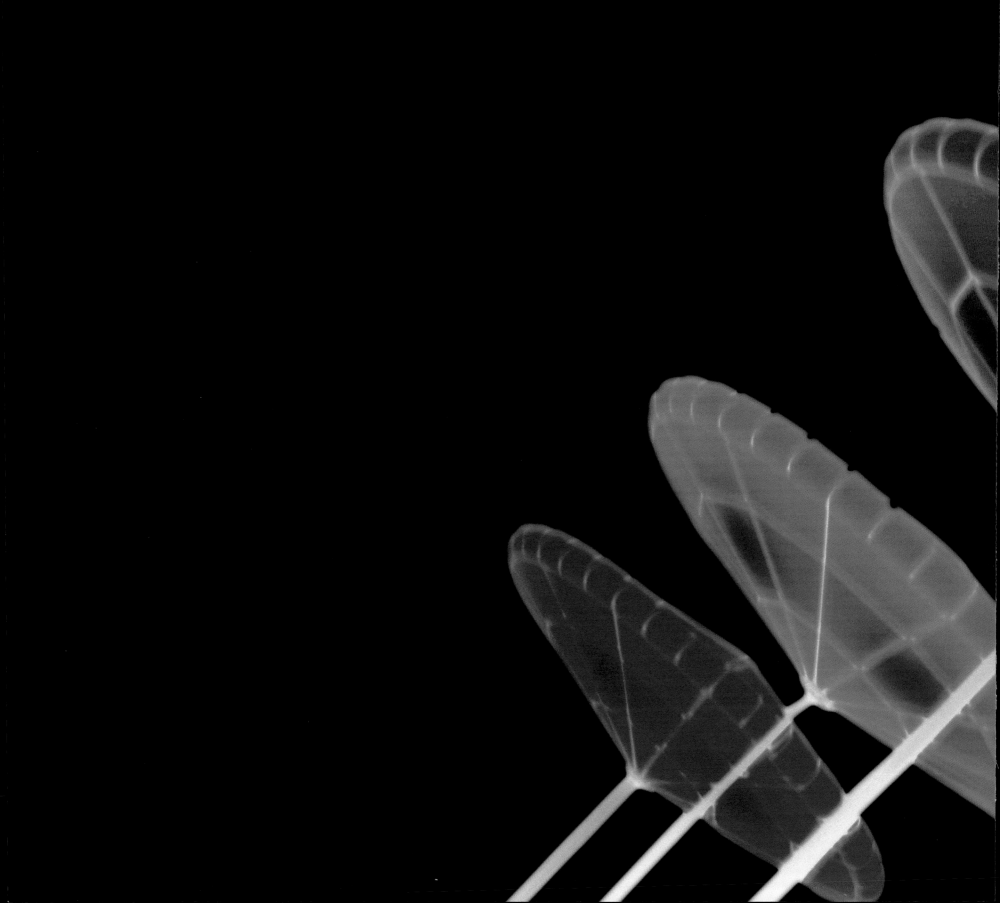

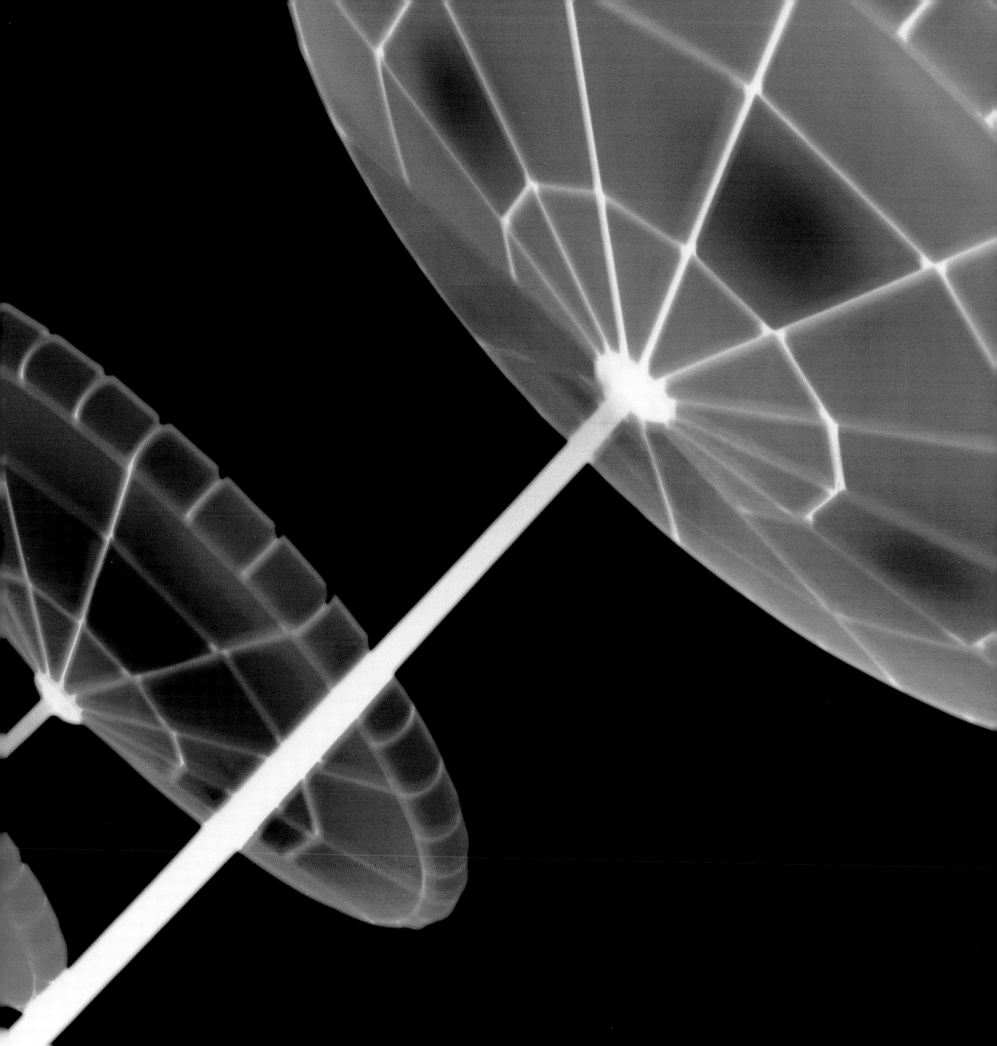

[Note biographique, par Martha Schwartz]

Je suis issue d'une lignée de créatifs, un trait qui unit ma famille depuis de nombreuses générations. Mes deux arrière-grands-pères, qui ont émigré de Russie et de Roumanie au tournant du XXe siècle, étaient tailleurs. La génération de leurs petits-enfants (celle de mes parents) fut la première à accéder à l'université, et plusieurs d'entre eux en profitèrent pour passer de la couture à l'architecture. Mon père, ma sœur, mon oncle, mon cousin et mon fils sont architectes. Mon mari est architecte et nombre de mes amis les plus proches le sont aussi. Le reste de ma famille est un joyeux mélange de graphistes, de peintres et d'ingénieurs, avec, dans le lot, quelques psychologues.

Dans sa jeunesse, mon père, Milton Schwartz, avait enseigné sous l'autorité de Louis Kahn à l'université de Pennsylvanie, avant de créer une grosse agence d'architecture et de concevoir des tours d'habitation. J'ai grandi en jouant dans son bureau avec des feutres à moitié secs. Les flotteurs de chasse d'eau qu'on me donnait comme jouets et le *Sweet's Catalogue* (en particulier les détails de montants de portes et de fenêtres) ont bien failli me dissuader à jamais de devenir architecte. Ayant eu un contact intime et précoce avec la pratique architecturale, l'attention aux détails qu'elle requiert sans parler de la durée interminable des projets, je sentais que je n'avais pas le tempérament pour faire ce métier. Autant j'aimais contempler les édifices tandis qu'on me trimballait au cours de « voyages d'étude » familiaux, autant j'ai su très tôt que j'avais besoin d'une activité souple, moins structurée, en clair, de devenir artiste.

82

Quand j'habitais Philadelphie, j'allais chaque samedi matin au sous-sol du Philadelphia Art Museum où l'on m'avait inscrite aux ateliers d'art pour enfants, mais j'aimais par dessus tout quitter le cours de bonne heure pour me promener dans le musée. Mon lieu préféré était de loin le salon de thé japonais où nous attendions que nos mères viennent nous chercher. De la douce lumière baignant la pièce et du cadre magique de ce lieu entouré d'un jardin, perdu dans les entrailles du musée, émanait un calme hypnotique qui nous envoûtait tous les week-ends. D'autres espaces féeriques ont enchanté mon enfance, comme les serres des Longwood Gardens sur le Dupont Estate au sud-est de Philadelphie. Les grandes serres formaient comme de gigantesques salons faits d'herbe, de fleurs et de haies bien ordonnées. L'ambiguïté de cet espace à la fois intérieur et extérieur me remplissait d'émerveillement. Je rêvais que je vivais dans une maison où mon lit reposait sur un énorme tapis de gazon, de sorte que le matin en me levant, je posais le pied sur l'herbe fraîche. L'idée de vivre dans un environnement constitué d'éléments naturels m'intrigue encore. C'est la raison pour laquelle j'aime les jardins, ces espaces où la civilisation rencontre la nature.

J'ai fait mes études à la School of Architecture and Design de l'université du Michigan et j'ai obtenu un diplôme de gravure. Durant mes études, j'ai suivi avec attention le travail des artistes du land art, tels que Robert Smithson, Walter De Maria, Michael Heizer, Mary Miss et Richard Long. Rompant avec les traditions de l'atelier et des galeries d'art pour s'aventurer dans les espaces naturels, ils introduisirent l'idée qu'une sculpture pouvait être motivée par un site particulier et entrer en relation avec lui. Ils créèrent une sculpture monumentale inspirée par le paysage qui ne pouvait être ni exposée en galerie ni vendue pour faire du profit et, par la même occasion, ils inaugurèrent une nouvelle prise de conscience environnementale. L'art retrouva sa place en tant que partie intégrante de notre environnement et non comme événement isolé accessible seulement à quelques décadents.

Je fus particulièrement impressionnée par le *Spiral Jetty* de Robert Smithson. J'étais sensible à la qualité héroïque de cette œuvre, à la beauté du site et à la formulation claire qu'il conférait à une conscience environnementale naissante. Je ne suis pas certaine qu'on utilisait déjà à l'époque l'expression *site-specific* (spécifique au site), mais il était évident que la pièce entrait en résonance avec son environnement et introduisait l'idée de temps et de processus en art. C'était une œuvre d'art vivante qui, de manière encore plus héroïque, ne pouvait pas être coupée en morceaux et vendue sur le marché de l'art new-yorkais de la fin des années 1960. Elle était pure. Passer de l'élaboration d'objets dans un paysage au modelage du paysage pour en faire une œuvre d'art et un espace intégrés me paraissait une évolution tout à fait logique.

A l'époque, les écoles d'art n'offraient pas de cours sur l'art environnemental ou spécifique au site. Aussi, après avoir consulté toutes sortes de gens, je décidai de tenter ma chance au département d'architecture paysagère où je pourrais au moins apprendre les aspects techniques de la fabrication de projets paysagers. J'entamai un cursus de trois ans à l'université du Michigan et découvris que sur une classe d'une vingtaine d'étudiants, nous n'étions que deux à avoir un bagage artistique. La plupart, semblait-il, étaient animés d'une ferveur religieuse pour sauver l'environnement, alors que moi, j'étais là pour apprendre comment faire de l'art en grand. Bien que pour moi aussi sauver le monde fût une noble cause, mon modèle pour ce faire était Robert Smithson et non un grand architecte paysagiste comme Ian MçHarg. Sans doute partagions-nous le même désir de rendre ce monde meilleur, mais nos moyens pour y parvenir étaient rédhibitoirement différents. Lorsque je demandai à mon directeur d'études la permission d'ajouter des cours d'art à mon cursus, il rejeta ma requête, ne voyant apparemment pas ce que l'art avait à voir là dedans.

Mon salut vint en la personne de Peter Walker que je rencontrai durant l'été 1973 à l'occasion d'un stage au SWA Group, l'agence qu'il dirigeait à San Francisco. Lors d'un dîner chez lui avec les étudiants, je découvris l'une des peintures « protractor » de Frank Stella. Je fus stupéfaite de voir qu'un paysagiste s'intéressait à l'art contemporain, et au minimalisme qui plus est. Il était à ma connaissance le premier paysagiste à faire un lien avec le monde de l'art, et compte tenu de son statut dans la profession, le fait qu'il puisse penser que l'art était d'une manière ou d'une autre relié à l'architecture paysagère me fut d'un grand réconfort. Cela me laissait entrevoir que je pourrais trouver ma place dans la profession. Ce fut un soulagement de trouver une âme sœur dans ce que je considérais être un désert professionnel. Son intérêt pour l'art m'a réellement inspirée et m'a encouragée à continuer mes études et finalement à m'engager dans cette profession.

A l'université, j'étais également attirée par les œuvres des minimalistes tels que Robert Irwin, Robert Morris et Donald Judd, artistes qui travaillent sur la

84

définition et la manipulation de l'espace au moyen de la sérialité. Comme le paysage couvre un espace beaucoup plus grand que la peinture ou la sculpture, cet effet doit s'obtenir avec une plus grande économie de moyens. Par leur aptitude à maîtriser de grands espaces avec peu de gestes et de matériaux, les minimalistes ont beaucoup à apprendre aux paysagistes. Richard Long unifie une immense vallée à l'aide d'une simple ligne tracée au bulldozer, annihilant l'immensité de l'espace en reliant le spectateur au point le plus éloigné de la mesa. Carl Andre définit une colonne d'espace au-dessus d'un plan parfaitement plat à l'aide de plaques de métal. Dans les œuvres horizontales de De Maria et de Barry Le Va, la répétition d'objets posés au sol les élève sur un plan mystique tout en attirant notre attention sur le potentiel visuel de la planéité.

Par leur usage de la géométrie et de la couleur, des artistes comme Leon Polk Smith, Frank Stella, Robert Mangold et Dan Flavin m'intéressent particulièrement. Ils explorent tout un éventail d'idées et d'émotions produites par des relations abstraites et cherchent du côté du mysticisme et du symbolisme inhérents à la géométrie. Les artistes Pop – Warhol, Johns, Lichtenstein et Oldenburg – m'influencent par l'intérêt qu'ils portent à l'objet banal, quotidien, et aux matériaux courants. Perspicaces, émouvants et bienveillants envers notre culture populaire, ils s'alimentent de son énergie et de son côté brut. Je me sens proche de leur humour intransigeant. Les œuvres plus récentes de gens comme Peter Halley, Richard Artschwager, James Turell, Dennis Oppenheim, Gary Rieveschl, Philip Taaffe et Damien Hirst continuent de m'intriguer.

Outre l'inspiration visuelle que l'art me procure, je suis attirée par les idées dont il est porteur. Les idées doivent être mises à l'épreuve pour prouver leur viabilité dans une culture. Une grande partie de la production artistique – celle de Kenny Scharf, Jeff Koons et Gordon Matta-Clark, par exemple, ou de Vito Acconci et Jenny Holzer – n'est peut-être importante que par les débats qu'elle suscite et, en fin de compte, par l'auto-évaluation critique qu'elle propose. En définitive, la question n'est pas que toute œuvre d'art ou paysage soit un chef-d'œuvre absolu ; ce qui compte, c'est qu'ils fassent avancer les choses grâce au questionnement et à la remise en cause des normes établies.

Mon environnement familial, mes études et mon amour de l'art ont contribué à me convaincre que la création paysagère est un art majeur et un moyen d'expression personnel. Il ne suffit pas que le paysage soit un tissu interstitiel, fonctionnel, s'étalant au pied de tours modernistes héroïques, tel un simple répit dans la vie quotidienne, un décor entourant un bâtiment ou un endroit où l'on se sent bien. Comme les autres formes artistiques, s'il veut apporter sa contribution à la culture, il doit être un stimulant pour le cœur, l'esprit et l'âme. Il peut être une expression de la vie contemporaine et utiliser un vocabulaire contemporain. Le paysage peut être un moyen, au même titre que l'art et l'architecture, de permettre aux idées de s'épanouir et d'évoluer. Ainsi réussirons-nous à développer un discours significatif sur le lieu, la culture et le temps qui sont les nôtres.

collines glaciaires et **rondins** pour une place de Minneapolis, ville à la lisière de la forêt

U.S. Courthouse Plaza

Minneapolis, Minnesota 1997
Client : US General Services Administration

« En un sens, cette place est un hymne à la gloire des fondateurs du Minnesota », déclare Martha Schwartz à propos d'un espace du centre-ville faisant face au nouveau palais de Justice fédéral conçu par Kohn Pedersen Fox. « Les pionniers du Minnesota étaient des bûcherons. Ils exploitaient la forêt, c'est le pays de Paul Bunyan. J'ai donc travaillé sur l'idée que très peu de gens dans cet État aujourd'hui sont en contact avec des rondins. »

Les rondins teints en argent entendent évoquer les grandes forêts qui attirèrent les immigrants et furent à la base de l'économie locale sur laquelle repose à son tour l'infrastructure municipale desservie par la place. Ils font aussi office de bancs : « Nous avions besoin de quelque chose pouvant servir de siège. Il faut que les endroits où s'asseoir soient nombreux sinon la population n'utilise pas l'espace. Comme chaque rondin est large à une extrémité et étroit à l'autre, les personnes peuvent s'asseoir confortablement quelle que soit leur taille. »

Les tertres engazonnés (renfermant une armature de fil de fer et de polystyrène expansé) évoquent quant à eux la géologie et la flore environnantes. Ils suggèrent un champ de drumlins, ces collines glaciaires typiques du Minnesota. Mesurant de 1 à 2,7 mètres de haut, les tertres en forme de larme sont parsemés de Jack Pines (pins gris, *Pinus banksiana*), une espèce pionnière de petite taille, commune dans les forêts locales.

La puissante diagonale des rondins et des monticules ainsi que la linéarité des bandes du pavement guident le piéton vers l'entrée du palais de Justice. Les variations extrêmes du climat se traduisent dans l'aspect des monticules. Au printemps et en été, ils se couvrent de fleurs vivaces. Certains sont tapissés de narcisses blancs tandis que d'autres prolongent le dessin du pavement par des bandes de scilles bleues. En hiver, les fortes chutes de neige accentuent l'effet sculptural des monticules.

La déconstruction et la reconstruction symbolique de la nature est un thème récurrent dans le travail de Martha Schwartz même s'il n'est pas forcément important, selon elle, que les visiteurs connaissent le sens exact d'un tel symbolisme. L'essentiel réside toujours dans le fait que l'espace soit remarquable en soi et puisse être utilisé et apprécié par la population à un niveau sensuel et quotidien.

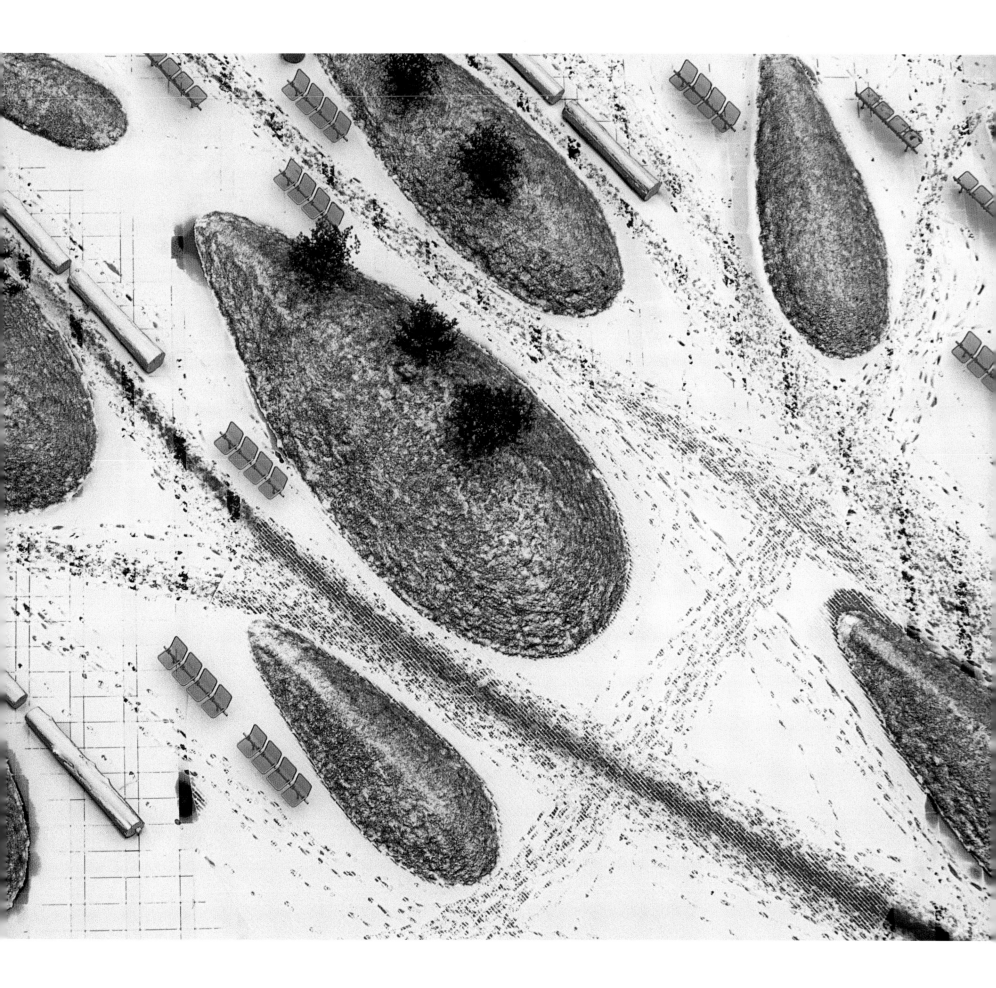

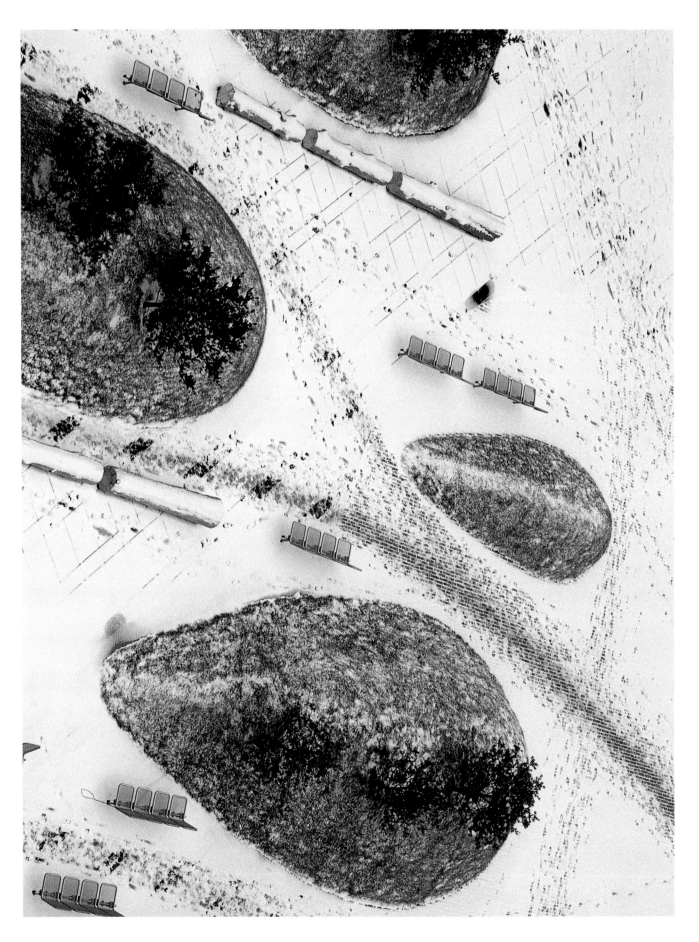

Les traces de pas dans la neige créent
un motif imprévu mais réussi.

91

Les monticules sont conçus de façon à ce
que leur qualité sculpturale soit lisible à
travers l'épais manteau neigeux qui
recouvre Minneapolis en hiver.

Pour satisfaire aux sévères limitations de charge, les monticules sont des constructions de haute technicité à base de polystyrène expansé, de toile métallique et de broches. Des cavités sont prévues pour accueillir des plantations de pins en mottes.

On laisse pousser l'herbe jusqu'à une hauteur de 20 cm, ce qui donne aux monticules l'aspect d'un « animal » hirsute. Le Jack Pine est une espèce pionnière choisie en hommage aux pionniers qui s'installèrent au Minnesota.

du vert, vite, et à peu de frais = le **jardin**

Whitehead Institute Splice Garden

Cambridge, Massachusetts 1986
Client : Whitehead Institute for Biomedical Research

« Ce jardin est d'une importance capitale, affirme Martha Schwartz. C'est une réponse polémique aux questions qui sous-tendent une bonne partie de notre travail. »

Ce jardin suspendu de 7,5 x 10,5 mètres situé à Cambridge, Massachusetts, fait partie de l'ambitieuse collection d'art du Whitehead Institute, un centre de recherche en microbiologie. Le site était un espace terne au sommet d'un immeuble de bureaux de neuf étages conçu par les architectes Goody, Clancy & Associates de Boston. La surface carrelée et les hauts murs d'enceinte conféraient une atmosphère sombre et inhospitalière à ce lieu sur lequel donnaient une classe et une salle des professeurs. De la salle, on avait accès à la cour, et donc la possibilité de l'utiliser pour déjeuner.

« Pour cette commande, tout le monde voulait du vert. Et en vitesse. Mais la structure n'était pas assez solide pour supporter de la terre, il était donc impossible d'avoir des plantations. Lorsque les plans de l'édifice furent dessinés, personne n'avait pensé à exiger un véritable espace de vie. J'ai été stupéfaite de voir qu'il n'y avait rien là-haut qui puisse entretenir la vie. Pas même une arrivée d'eau. Aucune somme d'argent n'avait été allouée à l'entretien d'un jardin ou de sa structure. Aussi, ce projet incarne-t-il l'idée même de jardin et nos attentes en la matière – qu'il soit vert, vite réalisé et à peu de frais. Nous voulons tous voir de la verdure, mais si possible sans dépenser d'argent. Et pourtant nous aimons vraiment tellement la nature, n'est-ce pas ? Ce jardin est un coup de gueule. Il signifie : "Vous voulez du vert et vous ne voulez pas payer, eh bien, tenez." »

Toutes les plantes sont en plastique. Les haies taillées, qui servent aussi de sièges, sont en acier laminé couvert d'Astroturf. Les surfaces vertes sont obtenues à l'aide de gravier d'aquarium coloré et ratissé, ou avec de la peinture. Martha Schwartz explique : « Si un jardin est une représentation de la nature, alors celui-ci est une re-représentation de la nature. Il n'a pas de poids, n'exige rien pour être maintenu en vie. C'est comme les êtres humains qui ne veulent pas s'engager. »

De plus, le jardin cache une fable édifiante sur les recherches poursuivies par l'institut, en particulier sur les risques liés aux greffes de gènes : la possible création d'un monstre. Ce jardin, en un sens, est un monstre ; c'est un assemblage, comme chez les frères siamois, de jardins de cultures différentes. Un côté s'inspire du jardin français de la Renaissance, l'autre du jardin traditionnel japonais. Les éléments qui le composent ont été déformés : les rochers des jardins zen sont faits en arbustes nains typiques de la topiaire française. Certaines plantes tels que les palmiers et les conifères sont associées de manière étrange et inhabituelle ; d'autres se projettent hors du mur ; d'autres encore sont en équilibre instable sur son sommet.

La partie française du jardin s'inspire des célèbres
parterres de Villandry [ci-dessous].

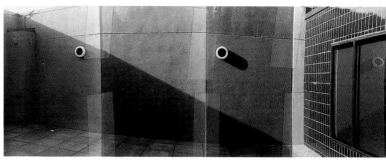

La vue depuis la salle de cours [ci-dessus] a de quoi laisser les étudiants perplexes.

La ligne qui coupe le jardin en
deux est un élément clé du plan.
C'est la « ligne de greffe »
qui joint les deux parties
opposées.

L'image ci-dessous a été prise dans le célèbre jardin de Ryoan-ji qui a servi de modèle à la moitié zen du jardin. Pour semer le trouble, Schwartz a remplacé les rochers aux formes sculpturales par des boules inspirées de la topiaire française.

transformer une ferme en **sculpture**

Winslow Farms Conservancy

Hammonton, New Jersey 1996
Client : Henry McNeil

Ce projet agricole à grande échelle représenta, pour Schwartz, le mariage entre l'art et les nécessités pratiques de la mise en valeur d'un paysage et de l'écologie. Les 240 hectares du domaine McNeil situé dans les landes du New Jersey offrent des conditions paysagères variées : des forêts épaisses, des ondulations progressives et une carrière d'argile abandonnée de 30 hectares qui retient une eau turquoise riche en minéraux et qui est entourée de sols pratiquement stériles. Le propriétaire, Hank McNeil, souhaitait créer un lieu de résidence pour artistes et maintenir en activité une ferme et un centre de dressage de labradors. L'agence de Martha Schwartz fut appelée à participer à ce projet qui ambitionnait de faire du site un endroit d'une beauté exceptionnelle en alliant intervention artistique et amélioration du paysage.

Au terme d'une collaboration étroite sur place avec le client et les entrepreneurs, le projet fut conçu comme un processus soustractif. Des espaces furent découpés dans le site par un déboisement calculé et sélectif. Le site fut nivelé pour mettre en valeur les vallonnements et créer des juxtapositions avec des formes sculptées. Les sols furent amendés afin de recevoir des plantes et des cultures qui firent l'objet d'une composition formelle, le but étant de créer une œuvre qui établisse un dialogue intriguant avec la nature « sauvage ». Le tracé des sentiers et des routes fut redessiné avec soin de manière à influer sur la perception du paysage.

« Nous avons essayé de sculpter l'espace à partir des pins existants et des champs de cultures biologiques de plantes exotiques. Dans la carrière, le sol est très pauvre ; ses éléments nutritifs ont été lessivés. Quand nous avons abattu des arbres, nous en avons fait une sorte de compost que nous avons étalé pour reconstituer le sol. Ce paysage a été régénéré à plusieurs niveaux. »

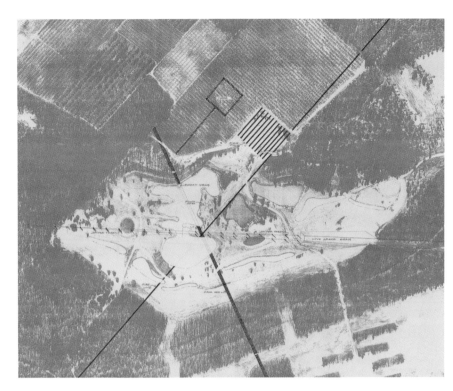

Une série d'axes furent tracés à travers les pins. Ils délimitaient des « pièces » en plein air et permettaient d'obtenir de longues perspectives à travers la forêt.

La carrière d'argile que l'on voit ici après son assainissement [à gauche] était un paysage très abîmé, notamment parce qu'elle avait servi de terrain de motocross. La carrière fut nettoyée et remise en état. Le sol argileux fut reconstitué à l'aide des copeaux provenant des arbres abattus. Elle sert maintenant de refuge aux oiseaux et autres animaux qui avaient déserté la zone. Ce projet considérable impliquait la création d'une structure et d'espaces par déboisement [ci-dessous].

103

les fantômes de l'Everglade **éclairent** le chemin

Broward County Civic Arena

Fort Lauderdale, Floride 1998

La place qui s'étend devant le stade des Florida Panthers, l'équipe de hockey sur glace locale, fut conçue de manière à intégrer le bâtiment à ce vaste espace vide. « Le budget étant très serré, nous n'avons pas pu installer de véritables structures sur la place, explique Martha Schwartz. Nous avons cherché quelque chose qui ait de la dimension, que l'on puisse voir de loin et qui ait autant que possible un impact sur la place. »

Seize dais sculpturaux en acier et toile vinylique de couleur rappellent les arbres des Everglades qui s'élevaient autrefois sur le site (le projet initial prévoyait de vrais palmiers royaux). Les deux rangées d'arbres virtuels signalent l'entrée du stade ; le soir, les dais sont allumés et éclairent le chemin. Un pavement à rayures, qui reprend

la géométrie du bâtiment, renforce le motif créé par les dais. L'aménagement, considérablement réduit dans son ambition, fut surnommé « la place aux soucoupes volantes » par Martha Schwartz Inc.

« Nous avons fait de nombreuses suggestions pour ramener le paysage à l'échelle de ses usagers, mais elles ne furent pas retenues, déclare la paysagiste. Finalement, nous avons juste eu les moyens de concevoir une mise en relation du bâtiment avec la place. » Le schéma révisé garde néanmoins son unité et sa logique, et les visiteurs ne peuvent guère soupçonner la difficile genèse de ce projet. « Quand un danseur est sur scène, il est supposé paraître très léger. Vous n'avez pas envie de savoir par quoi il est passé pour y arriver. »

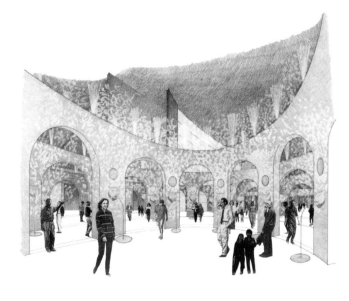

Plusieurs idées furent proposées pour la place [ci-dessus].

Les structures d'éclairage et les disques en plastique font partie d'un ensemble d'éléments dont beaucoup ne virent jamais le jour. Les disques, ou « soucoupes volantes », sont devenus des emblèmes de Fort Lauderdale, figurant même sur les affiches promotionnelles de la ville.

au bord de la route, des **monticules** attirent les automobilistes

Geraldton Mine Project

Geraldton, Ontario, Canada 1998
Client : Barrick Gold

Geraldton est une petite ville de 700 habitants située à environ 320 kilomètres au nord-est de Thunder Bay dans l'Ontario. La mine d'or McLeod Goldmine fonctionna de 1943 à 1972 et fut la dernière en activité de la région. Elle a laissé sur une aire de 68 hectares quelque 14 millions de tonnes de résidus et scories qui forment des petites collines pouvant atteindre 10 mètres de haut.

Dans le cadre d'un plan municipal de développement économique, l'agence de Martha Schwartz fut engagée pour aménager la zone avec un minimum de terrassement. « Geraldton se trouve à trois kilomètres de la Transcanadienne, la dernière route est-ouest d'Amérique du Nord. La municipalité s'est rendue compte qu'elle pouvait tirer profit d'un tourisme de passage. Le problème était que la qualité visuelle du pays avait été malmenée par les activités des compagnies minières en place avant la Barrick Gold, la société commanditrice du projet. Le paysage était si dégradé et si laid, et tout était visible depuis la route. Nous nous sommes occupés du nettoyage du site, tout en nous posant la question suivante : comment rendre le site intéressant au point que les gens aient envie de s'y arrêter ? Il fallait réaliser un carrefour qui soit suffisamment attirant pour que les automobilistes aient envie de quitter la route pour aller en ville manger dans un restaurant et peut-être y passer la nuit. En Amérique du Nord, seuls les ingénieurs réalisent des projets de réhabilitation ; nous voulions ajouter un élément visuel. Ce projet est comme une sorte de panneau publicitaire géant. »

L'agence a donné aux terrils les plus proches de la route des formes séduisantes qui en font une étrange porte d'entrée de la ville, célébrant son passé industriel au lieu de le renier. Une couche de 15 à 20 centimètres de tourbe fut étendue dans les zones aplanies pour aider à la repousse de la végétation, et le plan des plantations fit la part belle aux herbes indigènes, surtout celles de couleur or. Les terrassements n'ont pas pour unique but de former un puissant motif visuel. Des sentiers invitent à la promenade, à l'observation des oiseaux, à faire du VTT, du snowboard ou de la luge. Pour le tourisme de la région, il était important de prévoir aussi des pistes de motoneige, et l'on projette de faire passer le terrain de golf voisin de 9 à 18 trous sur la zone des résidus. « Nous voulions faire quelque chose qui tranche. Un fort contraste. Le but n'était pas de se fondre dans la nature. »

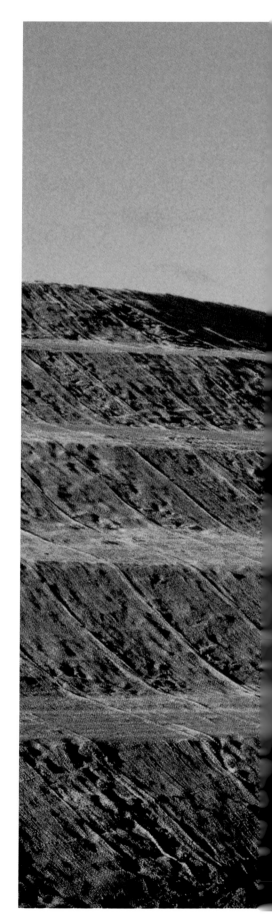

110

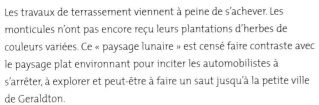

Les travaux de terrassement viennent à peine de s'achever. Les monticules n'ont pas encore reçu leurs plantations d'herbes de couleurs variées. Ce « paysage lunaire » est censé faire contraste avec le paysage plat environnant pour inciter les automobilistes à s'arrêter, à explorer et peut-être à faire un saut jusqu'à la petite ville de Geraldton.

Deux projets furent soumis à la population
locale : l'un, très rectiligne, l'autre tout en
courbes et contre-courbes. C'est ce dernier
qui fut choisi et réalisé.

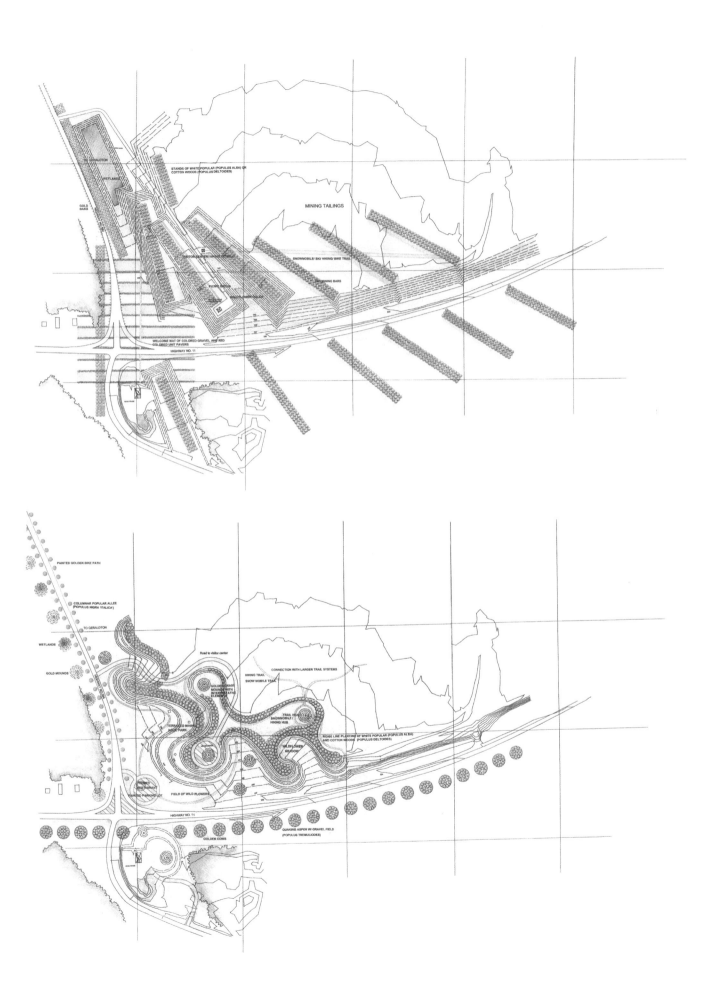

Les dessins produits par ordinateur pour les
calculs quantitatifs sont en soi des œuvres d'art
graphique.

un **saule** abstrait, fac-similé de la nature

Bo 01 City of Tomorrow Exhibition

Malmö, Suède 2001
European Housing Expo

« J'aime les expositions, dit Schwartz. C'est dû à ma formation de graveuse et d'artiste. Etant donné la technique dans laquelle il travaille, un peintre peut passer d'une idée à une autre beaucoup plus rapidement. La matière influe sur la vitesse à laquelle les idées peuvent être formulées ; ainsi le monde de l'art produit-il des idées visuelles beaucoup plus vite que celui de l'architecture. »

Le saule du futur que représente cette installation est situé au milieu d'un bosquet de vrais saules. Le poteau d'acier central, autrement dit le « tronc », supporte un dais en fil d'acier inoxydable auquel sont suspendues des mèches de rameaux de mylar vert (un film en polyester extrêmement résistant), plus courtes à mesure que l'on se rapproche du centre de l'arbre. Ce « raccourcissement » progressif des mèches de mylar crée une sorte d'espace, presque une pièce – c'est là une des qualités les plus étonnantes du saule pleureur. Le vent bruisse dans le faux saule de la même manière que dans le vrai feuillage, et le mystère est encore accru par le doux sanglot d'une femme diffusé depuis l'intérieur du dais. Le sol à la base de l'arbre est en Astroturf vert, matériau connu pour sa résistance et sa longévité. Ce saule abstrait n'a besoin ni d'eau, ni de terre, ni de chaleur, ni même de lumière. Il peut pousser partout dans le monde, en toute saison. Sa nature préfabriquée fait écho à la façon dont les fac-similés et le virtuel remplacent aujourd'hui ce qui est considéré comme réel et authentique.

Pour Schwartz, la nature temporaire de telles installations et expositions ne constitue pas un inconvénient, mais plutôt un moyen de « faire avancer la recherche en matière de paysage. Un spectacle de ballet n'a-t-il aucune incidence sur la culture une fois terminé ? Une chose éphémère serait-elle dépourvue de vertu artistique ? La durée ne suffit pas à créer la notion d'espace ou de lieu. C'est l'idée qui compte et la manière dont elle est exprimée. Si une chose est vraiment belle et nous émeut, elle peut nous transformer. Si elle peut faire les deux – nous émouvoir et durer longtemps –, c'est un trésor. Cet arbre était une chose magnifique et il restera dans les esprits ».

Les « jardins » de l'exposition ne devaient pas dépasser
10 x 10 mètres. Le « saule du futur », un cube de 10 m²
fait de rideaux de nylon vert, était installé
au milieu d'un bosquet de « bambous suédois »,
une espèce de saule utilisée pour régénérer les sols.

Les mèches de nylon faisaient un bruit soyeux comme celui d'un saule. De l'intérieur de la colonne d'acier provenaient les sanglots d'une femme.

[Ma mission, par Martha Schwartz]

Bien que l'architecture paysagère ait fait des progrès considérables au cours des vingt années qui se sont écoulées depuis le début de ma carrière, la relation de la profession à l'art reste fragile et mal définie, tant pour ses praticiens que pour le grand public. La définition du métier de paysagiste étant assez vague, sa relation à l'art sera toujours ambiguë. Certains praticiens considèrent leur activité comme l'antithèse de l'art : l'humanité, disent-ils, ne devrait pas violer la « nature » et le travail d'un paysagiste est de protéger la terre et de la sauver des griffes de l'homme. Sous le vocable de « nature », le grand public range en général tout ce qui n'est pas humain, le paysage bien conçu étant celui dans lequel on ne détecte pas la « main de l'homme ». Ceci n'est pas sans provoquer de vives tensions à l'intérieur de la profession, étant donné que nous construisons notre environnement et que nous vivons tous dans cet environnement construit. La main de l'homme est partout, que cela nous plaise ou non.

En dépit de la demande faite aux paysagistes de créer de jolies scènes pastorales, nous sommes confrontés à un nombre toujours croissant d'interventions humaines dans l'environnement. Aujourd'hui, notre environnement est ce que nous voulons qu'il soit, là où nous voulons qu'il soit. Nous construisons le paysage dans lequel nous vivons. Par conséquent, nous pouvons décider de concevoir ce paysage ou bien de renoncer à tout processus de design et laisser faire la nature. Le design de notre environnement est, pour nous architectes, la tâche la plus importante qui nous incombe au XXIe siècle.

Le travail du paysagiste est de concevoir le paysage. Nous devons lui donner forme, sens et beauté. Nous devons créer contexte, mémoire et lieu. Nous sommes chargés de façonner l'artefact éminemment humain qu'est le paysage. Il nous faut donc nous tourner vers les traditions qui apporteront une histoire et un contexte à l'expression de nos idées visuelles, nous devons nous tourner vers l'art. Les artistes sont les véritables chercheurs du domaine visuel. Envisager le paysage comme un art faisant partie de la culture, au même titre que l'architecture, la peinture et la sculpture, exige que l'art et l'histoire de l'art soient enseignés dans le cursus d'architecture paysagère. Tout au long de ma carrière, je me suis efforcée d'intégrer ma formation et ma culture artistique à mes projets.

Mon travail a toujours concerné des espaces extérieurs de formes variées qui posaient des problèmes programmatiques complexes. Toute œuvre est « spécifique au site » : la solution est particulière à un site et ne peut émaner que de celui-ci. Je ne fabrique pas des objets, mais un environnement dans lequel l'art et le paysage sont indissociables l'un de l'autre. Je considère le paysage comme un véhicule de l'expression personnelle.

Mon travail consiste à répondre aux nombreux besoins propres à l'architecture paysagère – programmatique, formel, esthétique, stylistique – tout en satisfaisant mon désir impérieux de créer une chose personnelle. Comme la plupart des artistes et des architectes, je souhaite laisser une trace, quelque chose qui, au mieux, représente une contribution unique à un lieu, ou qui, du moins, rappelle mon passage. Je considère le paysage comme un médium et un véhicule d'expression personnelle, l'équivalent de la boîte de couleurs du peintre.

C'est nous qui déterminons les paysages dans lesquels nous vivons et travaillons ; de sorte que le modelage du paysage détermine la qualité de notre environnement physique. Pour que les multiples paysages qui nous entourent – jardins de maison individuelle, couloirs routiers, parkings de centre commercial, rues de ville et de banlieue résidentielle, dessertes, couloirs ferroviaires, artères à la périphérie des villes, places, cours d'immeuble, quais et fronts de mer – jouent leur rôle en beauté, il faut les concevoir de manière non seulement à permettre tous les usages que les gens leur attribuent, mais aussi à respecter ou améliorer les normes et pratiques écologiques. Nos paysages étant des objets culturels, leur conception peut être aussi riche et variée que les gens qui les conçoivent et y habitent. Ces espaces souvent négligés ou au budget insuffisant peuvent être conçus de façon à transmettre une histoire, exprimer un point de vue, évoquer un sentiment ou une ambiance, servir de fond neutre à des activités humaines plus vivantes, ou même imiter un paysage naturel, si tel est l'effet désiré.

Depuis le Bagel Garden, mon travail a souvent été controversé ou qualifié de « non écologique » et d'« anti-nature ». Parce que j'utilise des matières artificielles ou fabriquées par l'homme, telles que du plastique ou du verre, des couleurs vives et des géométries franches, les critiques m'ont à tort reproché un manque de responsabilité écologique. Ces reproches ne laissent pas de m'étonner, car le plus souvent, ils émanent de la profession elle-même qui suit la mode du naturalisme ou de l'« éco-révélateur », styles facilement lisibles et très vendeurs. Il est faux de croire que si un paysage a l'air « naturel », il est naturel, écologique ou même durable. Le paysage écologique ne porte en lui aucune forme ni style particuliers. Ecologie et forme peuvent être complètement indépendantes l'une de l'autre. Il est important que nous construisions notre

environnement en respectant l'écologie, mais la forme du paysage, comme d'autres formes de la culture, est ouverte à l'interprétation individuelle.

Les projets conçus par mon agence donnent toujours le premier rôle à l'être humain et se soucient en priorité de la manière dont les gens se servent du paysage. Nous commençons par étudier le site et analyser les systèmes naturels qui pourraient avoir un impact sur lui, comme la géologie du sous-sol. Un site possède aussi une histoire culturelle ; les coutumes, les relations sociales et politiques locales jouent un rôle. Ces recherches nous fournissent une image du site à plusieurs facettes d'où commence à émerger une approche possible. L'objectif essentiel est de créer un espace auquel les gens seront attachés, qu'ils aimeront utiliser et qu'ils auront envie d'entretenir. Concevoir un projet « durable » est inutile si les usagers de l'espace ne l'aiment pas suffisamment pour l'entretenir. Si vous créez un espace auquel les gens ne « s'accrochent » pas, il ne passera pas l'épreuve du temps : il faut que le public établisse un lien avec le lieu pour garantir sa « durabilité ». Concevoir un paysage de manière écologique ne présuppose ni n'impose en fait aucun style particulier.

Je me suis toujours intéressée aux matériaux nouveaux ou non conventionnels. Comme les artistes Pop, je m'empare avec joie des matériaux utilisés ou trouvés dans la vie de tous les jours. Cette attitude, pour moi, est importante, car ce sont les matériaux avec lesquels nous vivons et construisons notre monde quotidien. Les matériaux de pacotille sont typiques de notre culture démocratique de classe moyenne, et si nous voulons participer à cette culture, nous devons apprendre à les aimer. Après tout, si Robert Rauschenberg peut ramasser des déchets dans une poubelle et, par son art et son imagination, en faire quelque chose de beau, nous pouvons, nous autres paysagistes, transformer nos environnements banals en espaces de beauté et de caractère.

On fait souvent appel à nous pour concevoir des espaces qui vont représenter des communautés ou créer une destination, un lieu qui incarnera une image collective. Créer des lieux qui sont mémorables, définissables et qui projettent une image forte peut être utile à une communauté, un groupe d'intérêts, une ville et même un pays. De tels espaces sont souvent situés dans des endroits prestigieux, de sorte que le projet puisse offrir un symbole au monde extérieur. Le paysage est le reflet des membres de la communauté, l'image qu'ils se font d'eux-mêmes. Pour moi, c'est un privilège extrême de créer de tels lieux ; c'est pourquoi je considère que nos paysages doivent fonctionner au plus haut niveau, servir efficacement les usagers (qu'ils souhaitent s'asseoir, regarder, se rassembler, faire du vélo, de la marche ou du roller...), être accessibles, être conçus de manière écologique et durable afin de passer toutes les barrières qui jalonnent le processus d'approbation bureaucratique. Mais la fonction la plus importante d'un paysage est de servir la psyché humaine.

Malheureusement, les gens n'ont qu'une notion très limitée de ce qu'est un paysage. La plupart pensent à une forêt, à des chutes d'eau, à une prairie, et autres milieux vierges ou primitifs du même genre. En ville, le paysage, ce sont les parcs, les quais et les places. Si ces espaces sont effectivement des paysages, le paysage en général ne doit pas se limiter aux parcs, quais et jardins ; il doit inclure tous les espaces qui s'étendent à l'extérieur du périmètre d'un bâtiment : allées, routes, trottoirs, parkings, centres commerciaux, lotissements résidentiels, couloirs utilitaires. Notre paysage, contrairement à notre fantasme de nature sauvage, est ce que nous en faisons.

un aménagement **collectif** qui respecte le droit à l'intimité

Gifu Kitagata Apartments

Kitagata, Japon 2000
Client : gouvernement préfectoral de Gifu

A propos de ce projet de cour, qui fait partie d'une expérience de « design de l'habitat féministe » et comprend également quatre immeubles d'appartements conçus par Akiko Takahashi, Kazuyo Sejima, Christine Hawley et Elizabeth Diller, Martha Schwartz explique : « Ce projet est "féministe" uniquement parce qu'il a été conçu par des femmes. Nous n'avons pas fait un traité féministe, et je ne pense pas non plus que c'était une chose que seules des femmes auraient pu créer. Le maire de Gifu voulait quelque chose d'attirant afin de prouver qu'un logement bon marché n'est pas forcément une punition. On demanda à Arata Isozaki, l'architecte du projet, de choisir et de diriger l'équipe des designers. On m'a dit qu'il voulait que le projet soit réalisé par des femmes parce qu'il pensait, compte tenu de l'exiguïté des appartements (65 m²), que les femmes seraient mieux à même d'aménager les espaces intérieurs. Pour le paysage, j'ai beaucoup réfléchi aux différents types de familles – avec personnes âgées, avec enfants – et nous avons créé un assortiment de mini-paysages spécifiques à chaque âge, où chacun pourrait être dans son propre espace tout en étant avec les autres. C'est cette idée qui m'a guidée. »

Le site était autrefois occupé par des rizières. Les rizières encaissées entre des digues surélevées m'ont inspirée pour la création d'une plate-forme surélevée dans laquelle sont insérées une série de pièces-jardins. Celles-ci offrent diverses possibilités de plaisir passif ou de jeu actif (présence de l'eau, aires de jeu pour les enfants, art public). Dans la Cour des Saules, on accède par un chemin en planches à une zone encaissée et inondée plantée de saules et de végétation des marais. Quand les arbres auront grandi, ce coin destiné aux amoureux sera protégé des regards indiscrets venant des appartements voisins. Le Jardin des Quatre Saisons, conçu pour les adolescents, est un ensemble

de quatre jardins miniatures où l'esprit de chaque saison est enclos dans des murs de plexiglas coloré. (« Nous les avons imaginés comme des lanternes », dit Martha Schwartz.) Dans le Jardin de Pierres, une fontaine circulaire avec pierres de gué et rochers en béton d'où l'eau jaillit à intervalles irréguliers forme un bassin de jeu pour les enfants. Les autres pièces du jardin sont l'Avant-cour des Cerises, le Canal des Iris, la Piste de Danse, l'Aire de Jeu des enfants, la Cour des Sports, la Vallée de l'Eau et le Jardin de Bambou.

« Nous avons cherché à faire des zones répondant à des besoins différents selon les groupes d'âge. Les enfants en bas âge aiment certains espaces, tandis que ceux qui ont entre 12 et 14 ans aiment cette fontaine rose. Ensuite, il y a ce bosquet de saules d'un caractère plus contemplatif, plus ennuyeux pour les enfants. Mais, les adolescents apprécient d'y être à l'abri des regards. La piste de danse en bois était réclamée par les personnes d'un certain âge. »

La fontaine en blocs de béton rose a vu le jour par accident. « Initialement, l'idée était de faire un grand bassin garni de rochers de granit rose, mais c'était trop cher. On s'est donc rabattu sur du béton, en pensant à un rendu plus sculptural. Nous avons commandé ces formes en béton à une entreprise japonaise et, un jour, elle nous a envoyé des photos montrant les rochers en béton peints en rose. Je pense qu'ils ont compris l'expression « granit rose » de manière un peu trop littérale ! Ces... choses roses en photo ont choqué tout le monde, surtout les hommes... Alors, j'ai décidé qu'on voterait pour savoir si on les garderait. Tous les hommes furent d'avis de les repeindre, sauf un. Toutes les femmes trouvaient les rochers très bien en rose. Comme il y avait plus de femmes que d'hommes, on les a gardés ainsi. C'est un cas d'incompréhension interculturelle qui finalement a bien tourné.

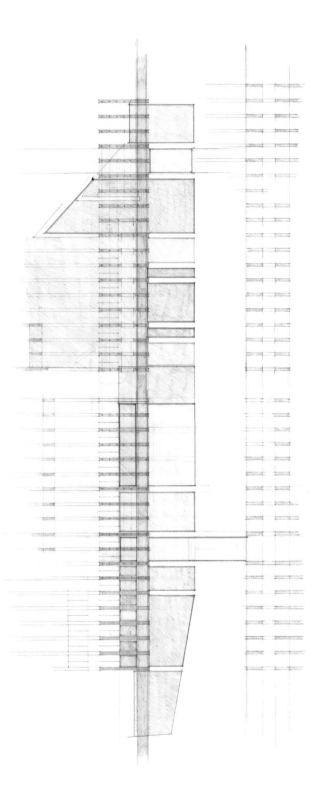

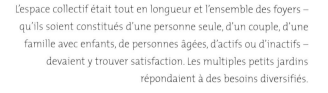

L'espace collectif était tout en longueur et l'ensemble des foyers – qu'ils soient constitués d'une personne seule, d'un couple, d'une famille avec enfants, de personnes âgées, d'actifs ou d'inactifs – devaient y trouver satisfaction. Les multiples petits jardins répondaient à des besoins diversifiés.

Cette extrémité montre la maison communale majoritairement fréquentée par les personnes âgées et les mères accompagnées d'enfants en bas âge.

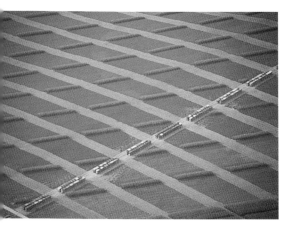

L'installation temporaire a été réalisée sur une parcelle de terre cultivée, dans la vallée de la Ruhr, en Allemagne. Les matériaux utilisés furent du maïs, du trèfle et de la paille en balles. L'axe de la statue de Bismarck et l'axe des lignes à haute tension, matérialisé par une épaisse ligne de maïs, se coupaient au niveau de la chambre circulaire noire que Schwartz appelle « le cœur des ténèbres ».

146

L'axe de Bismarck est un corridor de la largeur d'une personne fait de balles de paille enveloppées dans du plastique rouge fabriqué spécialement pour l'occasion. Schwartz l'appelle l'axe du « sang » ; la notion de puissance s'y manifeste au moment où les visiteurs doivent déterminer qui passera en premier et qui devra céder le passage.

rêves d'**évasion** et réalité fragmentée

King County Jailhouse Garden

Seattle, Washington 1987
Client : King County Arts Commission

Ce projet artistique, commandé par le King County dans le cadre de son obligation d'allouer 1% de son budget à l'art, prit la forme d'une place-jardin dépourvue de végétation, étant donné l'absence de fonds permettant son entretien. « Un paysage, c'est comme un animal, dit Martha Schwartz, il faut le nourrir. Si vous n'en avez pas les moyens, prenez plutôt une peluche. » Cette place devait aussi faire office de hall d'accueil de la prison (qui n'en avait pas) : un lieu où les visiteurs, les avocats et les gardiens pourraient se rencontrer et attendre, les prisonniers n'ayant pas accès à cette zone, mais pouvant la voir.

La place est un jardin régulier à la française, coloré et gai en apparence, avec des haies, de la topiaire, des parterres et une fontaine, le tout en béton prémoulé et carreaux de céramique. Sur le mur de la prison, un grand mural également en céramique représente une porte.

« Le jardin est une métaphore de l'évasion, explique Schwartz. A la base, c'est un dessin de parterre classique, avec des axes qui se croisent. J'ai ainsi pu donner un centre au site – l'espace n'avait pas de noyau central. Il devait pouvoir servir de lieu d'accueil et les enfants devaient pouvoir y jouer avec des objets de couleurs vives. Mais je voulais que ce soit un espace irréel, à la limite du mauvais rêve, comme s'il était sur le point de se désagréger. » L'évasion hors du réel n'est pas, selon l'agence de Martha Schwartz, une prérogative souhaitable du design, et tout ce qui tendrait à suggérer la perfection était ressenti comme inapproprié dans un tel contexte. Le morcellement des carreaux suggère que le jardin est en voie de désintégration – reconnaissance du chaos, du danger et de la fragilité de la vie des prisonniers. Schwartz avoue que l'œuvre est chargée d'émotion : « Les choses vraiment bonnes, celles qui restent dans les mémoires, sont guidées par l'émotion. »

L'agencement d'un parterre classique avec un centre bien marqué est transposé dans un espace où toute certitude est impossible. Le plan, tel que Schwartz le décrit, est une étude surréaliste d'un jardin sur le point de se désintégrer, comme dans un mauvais rêve.

La topiaire « euclidienne » semble flotter indépendamment de la surface structurée comme un jardin. A la différence des éclatantes couleurs pastel du reste du jardin, ces formes sont d'une couleur olive foncé et leur présence inquiète.

quand le beau et l'ordinaire se heurtent
à la tragédie de l'**esclavage**

Spoleto Festival
Charleston, Caroline-du-Sud 1997
Client : Spoleto Festival USA

Une installation temporaire intitulée « Field Work » fut mise en place dans le domaine McLeod, une ancienne plantation de coton où l'on peut encore voir six maisonnettes d'esclaves au milieu d'une prairie. Perpendiculairement à l'allée principale bordée de chênes conduisant à la maison, des rangées de poteaux métalliques entre lesquels sont suspendues des toiles de coton blanc de 1,8 sur 2,7 mètres délimitaient des « cours » étroites autour de chaque maisonnette. A l'aide de peinture de traçage pour terrain de sport, de grands carrés d'herbe avaient été blanchis entre les rangées de poteaux et de toiles flottantes.

La ressemblance apparente avec des cordes à linge incitait de nombreux visiteurs à s'approcher, mais le contexte du lieu et l'histoire de l'esclavage donnaient un autre sens à l'œuvre. Les carrés d'herbe blanchie conduisant aux maisonnettes devenaient poignants, et devant ces draps fantomatiques gonflés comme des voiles dans la brise, certains pensaient aux navires venant d'Afrique avec leurs cargaisons d'esclaves. « Je voulais faire quelque chose qui aborde des questions sérieuses tout en ayant une beauté qui les transcende. Vous pensez à ce que fut l'esclavage, et puis, il y a la beauté du site en lui-même, son romantisme. Les deux coexistent. C'est difficile émotionnellement. »

Schwartz ne voit pas de différence fondamentale entre une œuvre d'art comme celle-ci et ses projets paysagers. « L'approche n'est pas différente. Simplement, avec le paysage, on travaille sur la durée. Il y a de nombreuses questions pratiques qu'il faut résoudre, et cela modifiera immanquablement le résultat. Avec une commande d'œuvre d'art, vous êtes plus libre sur le plan artistique ; libre, parce qu'il n'y a pas d'argent en jeu. »

Les « draps » de coton suspendus illustraient les changements d'atmosphère au cours de la journée. Le matin et le soir, ils pendaient, droits et lourds d'humidité, et claquaient verticalement dans la brise de l'après-midi.

Dans beaucoup de pays d'Afrique, le blanc est la couleur de la mort.
Les draps mettaient aussi en valeur les magnifiques jeux d'ombres
et de lumières projetés par les vieux chênes de l'allée conduisant à
la maison de maître de la plantation.

invasion de **grenouilles** dorées
au centre commercial

Rio Shopping Center

Atlanta, Géorgie 1988
Client : Ackerman and Company

Eveiller la curiosité et susciter le rire sont les deux objectifs de ce projet. Une armée de 350 grenouilles dorées alignées en files indiennes regardent vers une sphère géodésique de 12 mètres de diamètre, point de mire d'un centre commercial d'Atlanta conçu par l'agence de Miami Arquitectonica. « L'humour est une chose importante dans la vie, note Martha Schwartz. Dans la culture juive, c'est vraiment important : j'ai été élevée dans une famille où on aimait bien rire. » Elle souligne que l'humour peut être un moyen efficace de faire passer un point de vue sérieux ou d'exprimer sa colère, bien que, dans le cas présent, les grenouilles ne fassent ni l'un ni l'autre.

« C'est un lieu consacré au shopping, il doit être original et divertissant. Ce centre commercial est situé en bordure d'une route et à côté de bâtiments médiocres et de panneaux publicitaires. C'était un endroit peu fréquenté qui avait besoin d'être mis en lumière. Ce fut notre panneau publicitaire. »

Le premier niveau de boutiques s'ouvre sur une cour située à 3 mètres sous le niveau de la rue. Le plan consiste pour l'essentiel en carrés de pelouse, de pavement, de pierres et d'éléments architecturaux qui se chevauchent. Les carrés sont recouverts d'autres formes géométriques – lignes, cercles, sphères, cubes.

Ces éléments se rencontrent dans un bassin noir strié de lignes en fibre optique qui brillent la nuit tombée. Un chemin flottant, doublé d'un pont architectural, relie deux côtés du centre commercial. Les grenouilles forment un quadrillage à la base de la sphère positionnée sur une pente entre la route et la cour, laquelle est couverte de bandes alternées de pierres de talus et d'herbe. Le quadrillage de grenouilles couvre la pente et traverse le bassin. Toutes sont tournées vers la sphère comme si elles lui rendaient hommage. La sphère qui supportera des plantes grimpantes abrite un brumisateur. Une place carrée, derrière ce point de mire, sert de lieu de rencontre, avec un bar circulaire, un bosquet de bambous qui traverse le plafond et une installation vidéo de Dara Birnbaum.

Mais pourquoi des grenouilles ? « Je n'aime pas dévoiler le secret des grenouilles, plaisante Martha Schwartz. La vérité, c'est qu'il ne restait presque plus d'argent pour cette phase de l'aménagement. Il était prévu d'installer des jets d'eau dans ce bassin rectangulaire par ailleurs assez monotone. Les grenouilles sont un geste de désespoir. Nous avons appelé partout à Atlanta pour essayer de trouver une sculpture de jardin. Un type disposait d'un stock de 350 grenouilles en béton, alors nous les avons prises. Cela aurait pu être autre chose. »

Cet espace à ciel ouvert était attenant à un centre commercial de construction récente. Le paysage créé était un hymne au shopping.

Trois cent cinquante grenouilles peintes en doré parsèment le bassin peu profond ainsi que le paysage en pente qui relie la rue au centre commercial situé en contrebas. Les grenouilles sont un expédient : le budget pour le paysage avait été « perdu » et on n'avait plus les moyens d'installer les fontaines initialement prévues.

une **succession** d'espaces explosent en paysage

Dickenson Residence

Santa Fe, Nouveau-Mexique 1991
Client : Nancy Dickenson

Nancy Dickenson est une collectionneuse de folk art dont le refuge solitaire au sommet d'une colline offre des vues immenses sur les bad-lands du Nouveau-Mexique et les monts Sangre de Cristo. Le plan existant de la maison et du jardin exigeait du visiteur qu'il traverse une succession d'espaces déconnectés les uns des autres avant d'atteindre la terrasse arrière et ses vues panoramiques.

« J'ai senti qu'il fallait imposer un ordre au style adobe nonchalant de Santa Fe. » L'espace fut redessiné selon une séquence logique de pièces extérieures et intérieures : tout d'abord un parking, puis une cour d'entrée digne de ce nom, puis les pièces d'habitation, avant d'aboutir à la terrasse. « C'est un peu comme la technique de Frank Lloyd Wright : à des fins de dramatisation, vous créez un espace comprimé, puis vous ressentez une libération devant l'immensité du paysage. »

La cour d'entrée encaissée et fermée par une enceinte évoque la tradition islamique : quatre fontaines carrées en brique sont reliées par des rigoles multicolores et ombragées par des pommiers sauvages à fleurs. L'intérieur des fontaines, tapissé de métal coloré, s'éclaire le soir d'une lumière réconfortante. « Je voulais un espace privé, pour conduire à quelque chose de secret. »

La terrasse à l'arrière s'étire sur toute la largeur de la maison. Elle est décorée de diverses œuvres d'art populaire de grande qualité. Les autres épisodes du jardin se découvrent les uns après les autres et semblent modestes dans ce contexte. « Ici, vous ne pouvez pas rivaliser avec le paysage. Nous avons décidé de ne pas lutter avec lui, mais d'y adhérer. » Le toit de la piscine couverte est un simple rectangle d'herbe qui se projette dans l'espace, un geste surréaliste qui fait également office de terrain de croquet. D'autres espaces où l'on peut s'asseoir, fermés et secrets, sont répartis sur les côtés de la maison. De la piscine, les nageurs aperçoivent le paysage grandiose par une entaille pratiquée dans le mur d'enceinte.

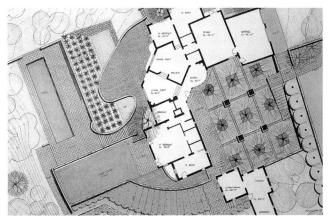

Le plan [ci-dessus] ordonna la construction existante autour d'un axe linéaire traversant tout le site, et ajouta un ensemble de nouvelles pièces qui réorganisaient la séquence d'entrée dans la maison.

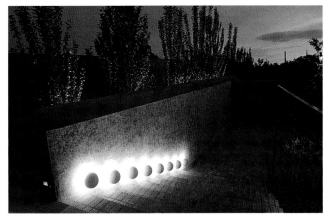

Le jardin de la chambre à coucher, au dessus de la nouvelle piscine couverte, est le seul endroit où Martha Schwartz s'est permis d'utiliser de l'herbe. C'est la « descente de lit » de la cliente ; elle se devait d'être confortable au pied. La paysagiste aime le contraste entre la pelouse – un merveilleux tapis de plantes domestiquées et aimant l'eau – et la rudesse du paysage accidenté et désertique environnant.

l'**Assyrie** au cœur de Los Angeles

The Citadel

City of Commerce, Californie 1991
Client : Trammell Crow Company

« Un parc de bureaux assyrianoïdesques et un magasin de pneus au rabais », telle est la manière dont Schwartz décrit l'extraordinaire ziggourat des années 1920 qu'est l'ancienne usine de caoutchouc et de pneus Uniroyal, un monument dans le paysage de la City of Commerce de Los Angeles. L'aménagement s'organise autour d'une allée de 200 mètres de long, à l'allure de place piétonnière, quadrillée par des lignes austères et impressionnantes de palmiers dattiers aux troncs cerclés à la base d'anneaux en béton blanc (un clin d'œil au passé de l'édifice).

« Je voulais faire une grande démonstration, une entrée digne de Cléopâtre. Je voulais qu'on ait l'impression qu'Elizabeth Taylor venait faire ses courses ici. Nous avons transformé la desserte en grande allée, plus appropriée à l'extravagant bâtiment assyrien. Il s'agissait d'une voie privée, fait important car cela signifiait que nous n'avions pas à faire les trottoirs et les plates-bandes aux normes réglementaires. L'idée était d'éliminer le vocabulaire de la rue et de faire une place de style européen : les voitures roulent dessus, mais c'est vraiment fait pour les piétons. Les gros pneus de béton autour des palmiers délimitent la voie et font office de sièges. C'était une idée hyper simple. »

Le pavement en damier est fait de dalles rectangulaires en béton coloré. La cour devant le magasin de vente au détail, à l'extérieur de la place, recrée un bazar moyen-oriental, avec l'ombre de ses arbres, ses sentiers, ses auvents et la présence de l'eau. Une allée solennelle bordée d'arbres à fleurs relie l'espace central à un hôtel en projet. Les aires de stationnement sont conçues pour rappeler les oliveraies du sud californien et de la Méditerranée. Des rangées d'oliviers secs et grisâtres forment un violent contraste avec la verdure de la palmeraie.

Un majestueux axe principal conduit au bâtiment. Le parking et les immeubles de bureaux bordent l'axe tandis qu'un magasin de vente en gros génère un axe transversal.

168

Des « pneus » en béton armé de fibre de verre entourent la base des palmiers dattiers et offrent par la même occasion des sièges aux piétons. Ils délimitent aussi les voies de circulation des voitures sur une place prioritairement conçue pour les piétons.

amoureux des **bancs** publics

Jacob Javits Plaza

New York City, New York 1996
Client : US General Services Administration

En 1992, le gouvernement fédéral entreprit de remédier au manque d'étanchéité du parking se trouvant sous la Jacob Javits Plaza à Manhattan. Comme les travaux devaient entraîner la démolition de la place existante, on saisit cette occasion pour réhabiliter le site. Durant tout le temps où le *Tilted Arc* de Richard Serra avait occupé l'espace, cette « lame d'acier » de 4,2 mètres de haut sur 36 de long avait été perçue comme un objet visuellement et physiquement encombrant. « Le Serra se situait à une échelle héroïque mais non humaine. Les immeubles qui entourent la place sont horribles, on ne pouvait donc que compatir avec les employés. Je me disais : pourquoi l'art serait-il au-dessus de la vie ? Cette œuvre avait cristallisé trop de mauvaise énergie. L'art public a bien un rôle à jouer, mais le public doit l'apprécier. » La prise de conscience que l'art et l'utilité devaient aller de pair dans un paysage public marqua un tournant décisif dans la carrière de Martha Schwartz.

Après que la sculpture eut été enlevée en 1989, la place resta vide et déconnectée de son contexte. La solution de la paysagiste devait fournir un espace pratique, gai et agréable pour que les passants et les employés du voisinage puissent s'asseoir mais aussi réintégrer la place dans la scène de la rue new-yorkaise.

La nouvelle place offre la possibilité de s'asseoir de diverses manières. « C'est le nec plus ultra du banc de parc, déclare Schwartz. C'est un parterre de broderie fait d'un ruban sinueux de bancs new-yorkais placés dos à dos. Il offre différents types de vie sociale, en petits ou grands groupes. Vous pouvez vous asseoir en cercles intimes ou être plus dispersés. Seul, vous pouvez vous asseoir à l'extérieur des courbes pour n'avoir personne en face de vous. A chaque saison, les ombres changent de place. On trouve toujours un endroit où s'asseoir selon la saison. »

Comme dans un parterre de broderie du XVIIe siècle, les arabesques et la couleur verte réfléchissante des bancs animent le plan de la place. La topiaire française fait une autre apparition dans les buttes hémisphériques engazonnées de 1,8 mètre de haut qui diffusent un brouillard par temps chaud et sont éclairées la nuit d'une lumière verte. Schwartz parle à leur propos de « petits centres de gravité visuels autour desquels s'enroulent les arabesques des bancs ».

Mais le grand geste structurel a consisté à enlever les bacs qui étaient placés à deux angles de la place, ainsi que la longue fontaine vide qui occupait la seule partie ensoleillée du site. « Ces éléments empêchaient de voir la rue. Maintenant, les gens participent à nouveau à l'animation de la rue. » Des versions modifiées du mobilier standard des parcs new-yorkais – bornes-fontaines émaillées (bleu vif, ici), poubelles grillagées (orange vif), lampadaires de Central Park surdimensionnés, bornes en béton (à tête hémisphérique) et les longs bancs eux-mêmes – sont un clin d'œil à la présence incontournable de Frederick Law Olmsted, le créateur de Central Park. Martha Schwartz les a quelque peu « bidouillés » en guise de commentaire ironique sur le fait que New York a beau être une Mecque culturelle pour la plupart des arts, les expériences d'architecture paysagère ne sont guère encouragées.

De tous les projets de Martha Schwartz, Inc., l'aménagement très remarqué de la Jacob Javits Plaza fut le plus critiqué pour la qualité de sa construction. Ce n'est pas la première fois que ce reproche est adressé à des projets de l'agence. Martha Schwartz ne nie pas que nombre de ses projets ont une espérance de vie limitée, et elle l'assume pleinement.

« Comment faire quelque chose avec de la pacotille, c'est un de nos grands problèmes. En général, les clients veulent que ce soit vite fait et pas cher. Ma culture n'est pas une culture de la longévité (en Europe, j'ai constaté qu'on se demande comment les choses vont vieillir, on en prend plus soin). Alors, on fait quand même, et ensuite, on se fait critiquer quand ça tombe en morceaux. Beaucoup de mes œuvres sont temporaires, ou relativement temporaires : elles peuvent durer dix ans, mais pas plus. C'est le résultat des limites budgétaires que l'on nous impose. Par manque d'argent, certains matériaux ont une durée de vie limitée. Si vous voulez qu'une chose dure, il faut des matériaux plus solides et donc plus chers. Les dalles en béton par exemple ne durent pas, elles tombent en morceaux, se craquellent, se décolorent et deviennent friables avec le temps. Que devrais-je faire ? Quitter la profession ? Non, on voit ce qu'on peut faire. Si l'on peut transformer un espace pour le public ne serait-ce qu'un instant, c'est mieux que de ne rien faire du tout. J'aime avoir un instant de gloire. De plus, les espaces que nous concevons ont tendance à être soumis à un usage excessif. On les abîme, ils s'usent et il y a souvent des problèmes d'entretien. Mais peut-être que si les gens les aiment vraiment, ils trouveront les moyens de les entretenir. Il faut inspirer l'envie de défendre ses paysages. »

Après l'enlèvement du *Tilted Arc* de Serra, les employés des immeubles voisins réclamèrent avec insistance un espace abondamment garni de sièges et d'arbres. Ces derniers furent écartés à cause de sévères contraintes de charge. Martha Schwartz créa alors ces longues et sinueuses doubles rangées de bancs qui forment autant d'arabesques serpentant à travers la place.

Bien que le plan et le concept diffèrent totalement du travail d'Olmsted, le langage est tout à fait olmstedien. Schwartz prétend qu'à New York, tout autre langage paysager est impossible.

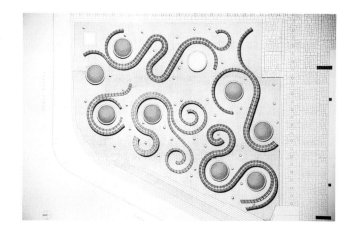

174

La place est parsemée de tertres engazonnés construits en matériaux légers qui assurent une subdivision de l'espace.

des **baleines** dans un parking japonais

Nexus Kashi III Housing Project

Fukuoka, Japon 1997
Client : Fukuoka Jisho Co Ltd

Lors de la phase finale de la construction d'un ensemble résidentiel comprenant six immeubles d'appartements conçus par Mark Mack, OMA/Rem Koolhaas, Steven Holl, Oscar Tusquets, Christian de Portzamparc et Oshamu Ishiyamu, on demanda à l'agence de Martha Schwartz d'aménager les espaces publics entre les bâtiments.

« Nous fûmes les derniers à intervenir, constate Martha Schwartz. Quand nous sommes arrivés sur place, l'espace était complètement morcelé, comme si quelqu'un avait découpé une robe dans un tissu en suivant un patron puis vous avait donné les chutes. Il est difficile de créer une unité spatiale avec des rebuts d'espace. »

Mais Martha Schwartz savait qu'elle œuvrait dans une culture qui apprécie le design extérieur. « Au Japon, les gens n'ont peut-être pas envie de faire du jardinage, mais ils veulent un jardin. Ils veulent un espace de respiration. On trouve partout des petits bouts de jardin. On peut même trouver un petit espace de moins d'un mètre carré à l'extérieur d'une salle de bains. »

« En fait, il est apparu que la vraie demande était celle d'un parking. Il est clair que même les Japonais préfèrent un parking à des jardins ou à un espace paysager. Mais cet espace extérieur était aussi une zone que tout le monde pouvait voir de sa fenêtre, il fallait donc en faire une expérience intéressante. »

La solution a consisté à incorporer des buttes sculpturales – Schwartz les appelle « baleines » – qui donnent du mouvement grâce à l'idée de nage et une impression d'unité à l'ensemble. Les monticules de pierre et d'herbe nagent mystérieusement à travers le feuillage clairsemé et les troncs verticaux d'une forêt de bambous. « Ils permettent aussi d'oublier la forme de l'espace. »

Il fallait donc également prévoir des places de stationnement pour 241 voitures et 450 bicyclettes. L'étendue d'asphalte ainsi occupée fut animée par une série de disques orange vif dessinés sur les places de parking. En semaine, la plupart des voitures quittent le parking qui se transforme alors en une belle place mise en valeur par des rangées de palmiers majestueux. La répétition est une technique visuelle essentielle dans le travail de Martha Schwartz. « C'est un très bon moyen de conférer une structure à un lieu qui autrement n'en aurait pas, ce qui est souvent le cas. Le paysage, c'est de l'espace non structuré. La nature n'est pas une toile blanche : à l'extérieur, la forme qui domine, c'est le chaos ; structure et répétition font contraste avec lui. »

Les objets « en mouvement » représentent une stratégie d'unification pour un plan dont les espaces avaient été morcellés sans ménagement et manquaient de continuité. Les baleines sont faites de pierre et d'herbe ; elles nagent dans une mer de bambous.

178

La baleine d'eau est recouverte de tuiles afin que l'eau s'écoule sur toute sa surface depuis l'épine dorsale.

Un espace d'abord destiné à devenir un jardin collectif fut aménagé en parking à la demande des résidents. Schwartz s'est efforcée de rendre cet espace attrayant au moyen d'un graphisme audacieux.

Grâce aux motifs graphiques peints sur l'asphalte, le parking devient un véritable « lieu ».

gestion de la **circulation** (humaine et automobile)

Theme Park East Entry Esplanade

Anaheim, Californie 1998
Client : Disneyland

« A Disneyland, on nous a soumis un problème de circulation. Il s'agissait de l'entrée du parc réservée aux bus, et il nous fallait en faire un endroit pratique, sûr et attrayant. Nous nous sommes inspirés du vocabulaire routier élémentaire – acier, cônes, asphalte, signalisation au sol, allées piétonnes, éclairage public et feux tricolores – pour créer un environnement hypertrophié et multicolore. Nous l'avons surnommé "Hyper Highway", car tout y est plus grand, irréel. Il s'agit d'un paysage presque entièrement peint. L'inconvénient, c'est que tout a besoin d'être repeint régulièrement. »

Les navettes des hôtels avoisinants déposent et reprennent les visiteurs le long d'arrêts disposés linéairement. Ces îlots sont signalés par des bandes de passage piétons surdimensionnées qui indiquent aux piétons la direction de l'entrée du parc. Chaque îlot est flanqué de rangées de lampadaires routiers recouverts de peinture métallisée, chacun diffusant une lumière de couleur différente. Le soir, non seulement ces lumières forment un éblouissant champ de couleurs, mais elles permettent d'orienter la circulation tant automobile que piétonne.

Des bornes en béton armé ont été moulées de façon à ressembler à de gigantesques cônes de signalisation et ont été peintes en vert. Sur un des côtés, une unique rangée de bornes en carrelage « d'alerte » jaune vif occupe une bande de 1,5 mètre de large. Le carrelage assure une séparation tactile et visuelle entre les piétons et les véhicules. Les cônes verts rendent aussi hommage à la topiaire du XVIIe siècle. De fait, le plan dans son ensemble fut inspiré par l'organisation des flux de circulation dans les jardins baroques français, une intention qui apparaît clairement à la lecture du plan.

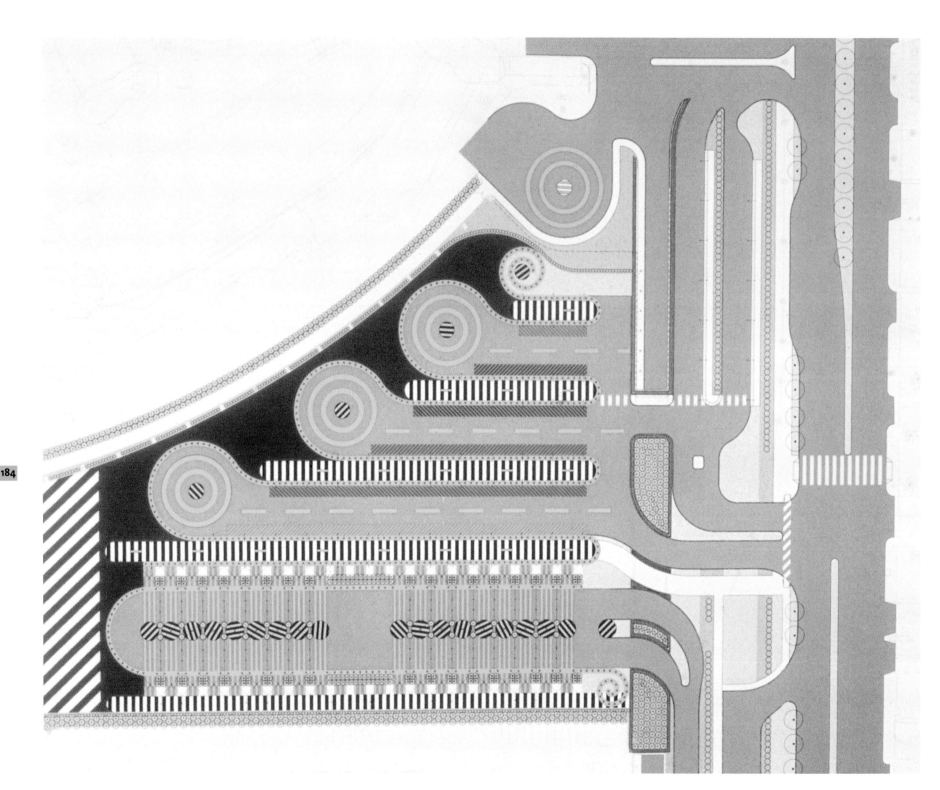

Le East Tram Drop-off est une zone strictement fonctionnelle foulée
chaque année par onze millions de visiteurs se rendant à Disneyland.
Le plan reprend le vocabulaire graphique et chromatique de la
signalisation routière. L'emploi de la répétition, de la sérialité et de la
couleur dans ce projet est parfaitement représentatif du style de
Schwartz et a permis de simplifier au maximum le design général.

Lampadaires, cônes de signalisation et bandes noires et blanches de passage piétons construisent une majestueuse voie d'accès. Ceux qui s'installent sur ce « banc Mickey » [ci-dessus] peuvent observer les visiteurs entrant dans le parc.

contes de fées pour immeubles en quête d'histoires

Paul Lincke Höfe

Berlin, Allemagne 2000

Client : Realprojekt Bau und Boden AG ; paysagiste associé : Büro Kiefer

Les contes des frères Grimm ont inspiré les cinq cours-jardins d'une ancienne fabrique de téléphones reconvertie en résidence de luxe. Situées au-dessus d'un parking et à l'ombre des bâtiments, les cours forment une suite de vignettes magiques et entièrement façonnées par l'homme. En transformant des contes traditionnels en environnements construits, Schwartz établit un lien culturel avec le folklore allemand, à travers des paysages issus d'une imagination fantasque. Du fait que les bâtiments de six étages entourant les cours cachent le soleil, les jardins vivement colorés animent l'espace et donnent aux habitants de chacune des cinq parties de la résidence un sentiment d'identité.

« Jusqu'à une date récente, l'architecture paysagère allemande était assez didactique. Les paysagistes ont adopté une esthétique traduisant le processus écologique, d'après laquelle la nature est censée être le sujet politiquement correct d'un paysage. Ces histoires éco-dirigées tendent à marginaliser les questions culturelles qui pourraient motiver un projet. Il en résulte souvent des espaces maladroits et parfois peu excitants ou utiles à la population. Le récit écologique, le paysage éco-révélateur et l'éco-esthétique sont des approches extrêmement populaires. Même si elles remportent un succès commercial certain, les paysagistes qui les mettent en œuvre semblent ignorer le fait que nous construisons nos paysages et notre environnement, que le paysage est un artefact culturel. En tant que tel, le paysage se prête au façonnage et à l'interprétation de l'homme, et peut donc exprimer beaucoup d'autres histoires et prendre beaucoup d'autres formes, de même que la sculpture, la

peinture, le cinéma et l'architecture peuvent traiter d'une infinité de sujets et varier leur esthétique à l'infini. C'est pourquoi, même si beaucoup de gens pensent qu'un paysage doit parler de nature et d'écologie, je sens que le potentiel du paysage est beaucoup plus vaste en tant que forme d'art culturelle. Un jardin n'est pas un simple étalage de plantes. »

« Le Paul Lincke Höfe est une suite de jardins où l'on peut s'abstraire du quotidien, plonger dans ses pensées, méditer ou se détendre : c'est un espace mental. Dans ces jardins de contes de fées, j'ai essayé de montrer qu'un paysage n'a pas besoin de parler d'écologie ou de processus naturel, il peut avoir une logique culturelle. Dans ce cas précis, les jardins racontent des histoires fondées sur les contes de Grimm et non sur quelque vague récit de restauration écologique. »

Le caractère particulier de chaque jardin est accentué par des éléments architecturaux pleins d'espièglerie, des plantations originales et un jeu sculptural sur les niveaux. Des éléments verticaux prolongent les jardins vers le ciel et remplissent le vide séparant les bâtiments. Cinq contes sont illustrés à travers les jardins : *La Nixe ou la Dame des eaux*, *Comment les six ont fait leur chemin dans le monde*, *Les Douze Frères*, *Le Conte du Genévrier* et *La Lune*. « Peu importe que les gens reconnaissent ou non les allégories et symboles que je mets en scène. Le jardin doit fonctionner indépendamment de cela. Ici, néanmoins, chaque espace a été doté d'une petite plaque racontant l'histoire, pour ceux que ça intéresse. »

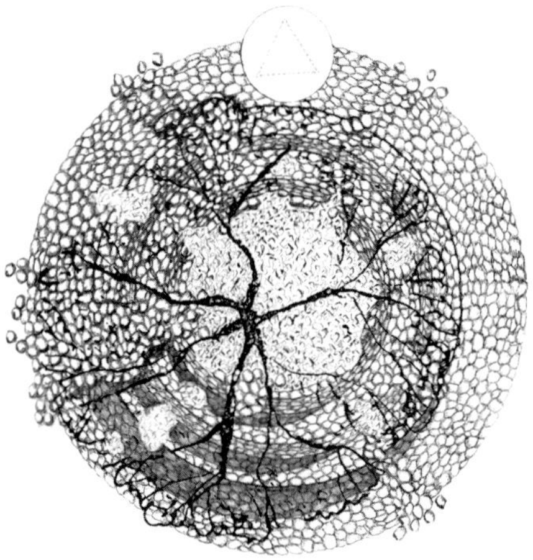

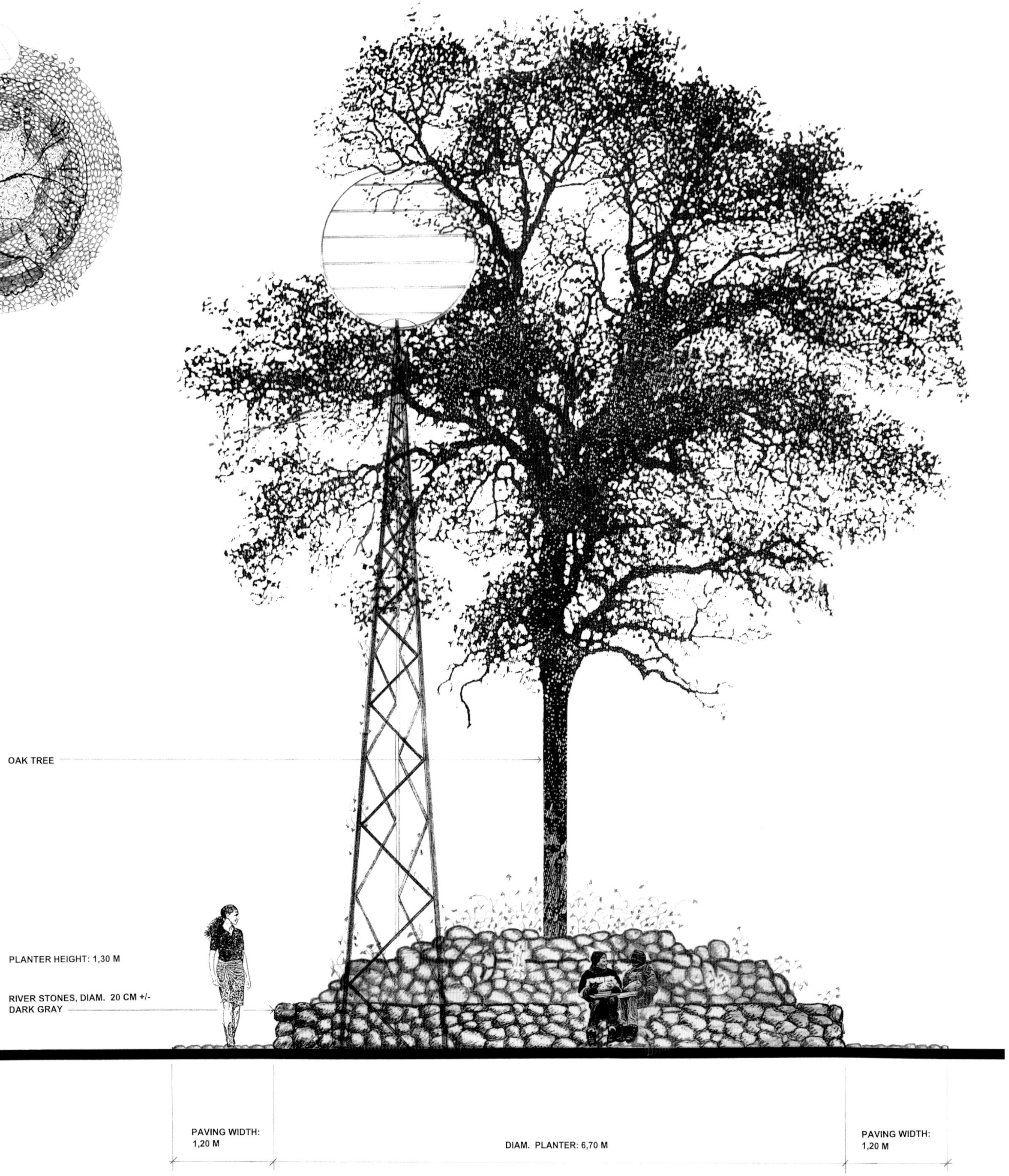

OAK TREE

PLANTER HEIGHT: 1,30 M

RIVER STONES, DIAM. 20 CM +/-
DARK GRAY

PAVING WIDTH:
1,20 M

DIAM. PLANTER: 6,70 M

PAVING WIDTH:
1,20 M

Un des cinq jardins-contes de fées raconte pourquoi la lune est dans le ciel. Cinq « lunes » en fibre de verre juchées sur des poteaux à treillis flottent au-dessus d'un « vieux » bosquet de chênes.

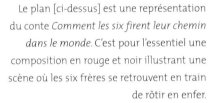

Le plan [ci-dessus] est une représentation du conte *Comment les six firent leur chemin dans le monde*. C'est pour l'essentiel une composition en rouge et noir illustrant une scène où les six frères se retrouvent en train de rôtir en enfer.

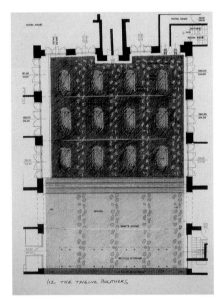

Ce plan [ci-dessus] représente l'histoire des *Douze Frères* et de leurs douze lits.

Ce jardin raconte une histoire d'enfants poursuivis par une sorcière. Lorsqu'ils lui jettent des objets, comme des peignes, une brosse et un miroir, ceux-ci se transforment par magie en montagnes qui gênent la course de la sorcière et permettent aux enfants de s'échapper. Ces « montagnes » sont devenues des objets ludiques : les enfants de la résidence les escaladent et jouent à l'intérieur.

une question de **goût**, en termes monumentaux

51 Garden Ornaments

Schloss Wendlinghausen, Westphalie, Allemagne 2001

Client : Ministerium für Städtebau und Wohnen Kultur und Sport des Landes Nordrhein-Westfalen

« 51 Garden Ornements, précise Martha Schwartz dans un texte, montre les ornements de jardin préférés des Américains et des Allemands. Ils ont été achetés dans des chaînes de jardinerie qui vendent ces objets en grandes quantités. J'ai choisi les modèles qui me paraissaient les plus typiques et ceux qui avaient le plus de succès. De par leur grand nombre et leur omniprésence, ces ornements reflètent qui nous sommes et l'image que nous souhaitons donner de nous-mêmes. Ils caractérisent un paysage collectif au sens large, dans la mesure où ils reviennent fréquemment dans nos jardins. »

Le site de l'installation temporaire était le parc forestier d'un château, envahi par les mauvaises herbes. Rien ne pouvait être transformé de manière permanente et aucune plantation ou nivellement d'envergure ne pouvaient être envisagés. L'installation devait se limiter à une intervention légère sur le paysage. L'espace, vallonné et sans structure, était parsemé de grands et vieux arbres sans agencement particulier. Pour créer un contraste avec l'aspect désordonné du site, le premier geste de Martha Schwartz fut de demander à l'équipe de jardiniers de tondre un quadrillage dans l'herbe tout au long du printemps. Les rubans tondus traçaient un cheminement en zigzag pour les visiteurs. Aux croisements, on avait disposé des ornements sur des socles blancs et nus afin d'imposer un ordre dans le paysage, les ornements n'étant pas en eux-mêmes suffisamment frappants.

Martha Schwartz commente : « On avait créé une forte structure spatiale avec une polémique à l'intérieur. L'œuvre est drôle... et critique. Le commissaire de l'exposition, ravi que l'installation attire un public nombreux, me déclara : "Vous êtes sacrément en colère." Il avait raison. L'œuvre est cinglante, mais la plupart des gens passèrent à côté. »

Comme souvent chez Schwartz, l'œuvre peut être appréhendée à plusieurs niveaux. « Si les gens ne veulent pas comprendre ou entendre ma colère, ils peuvent se balader simplement et c'est bien ainsi. Mais ceux qui font attention au niveau conceptuel trouveront de quoi réfléchir. Ce que j'affirme, c'est que ces ornements se retrouvent tous dans nos jardins. Nous avons fait le tour de ces immenses jardineries, dans les deux pays. Il est évident qu'elles font de grosses ventes avec ces articles qui se déversent dans nos banlieues et nos campagnes. Beaucoup d'entre nous n'y voient que mauvaise qualité et vulgarité, mais le processus et ses résultats sont démocratiques. Les gens choisissent ces objets pour s'exprimer face à leurs voisins et au public en général. Je ne saurais dire si je trouve ça bien ou mal. »

On peut se demander toutefois si Schwartz n'est pas simplement en train de se moquer du goût populaire du haut de sa position d'artiste. Elle confirme : « La réponse est oui. C'est formidable que les gens aient le choix, comme le démontre le nombre de modèles d'ornements disponibles, mais il est vrai également que le choix sans la connaissance ou l'éducation peut être dangereux. La majorité des gens est sous-éduquée et sous-exposée à l'esthétique. La plupart pensent qu'avoir une opinion sur l'art et le design, c'est la même chose que de les connaître. Mais comment peut-on être éduqué en esthétique quand cette matière n'est pas enseignée à l'école, ni manifeste dans l'environnement ? Aux Etats-Unis, la dégradation de l'environnement visuel est beaucoup plus rapide qu'ailleurs, peut-être à cause du grand choix offert dans les matériaux. Ma critique consiste à dire que ce manque de conscience esthétique au niveau de l'environnement ne peut rien donner de bon. »

L'installation a pris place dans le parc d'un vieux château où il était impossible d'effectuer des changements permanents. Martha Schwartz a donc disposé des cubes blancs (servant de socles) aux intersections d'un quadrillage de sentiers tondu dans l'herbe.

Des objets appartenant à la culture
populaire furent posés sur des socles blancs
comme dans un musée. Le jockey, le pneu
rempli de géraniums et le *wishing well* – ce
puits dans lequel on jette des pièces en
faisant un vœu – sont des standards
des jardins américains.

Ces ornements ont un succès phénoménal auprès du public tant en Amérique qu'en Allemagne. Quelle image nous renvoient-ils de nous-mêmes ? C'est un processus paysager démocratique qui offre une liberté de choix que la population ne manque pas d'exercer. Il se vend chaque année pour des millions d'euros et de dollars de ces objets.

un code de couleurs pour définir les espaces **intérieurs** d'un immeuble de bureaux

Swiss Re Headquarters

Munich, Allemagne 2002

Client : Swiss Re ; architecte : Bothe, Richter, Teherani Architeckten ; paysagiste associé : Peter Kluska, Landschaftsarchitekt

Le paysage entourant ce nouveau siège d'une compagnie d'assurances est divisé en quatre carrés dotés chacun d'une couleur : rouge, bleu, jaune, vert. Chacune des parties est constituée de bandes de plantes, de matériaux durs et d'objets sculpturaux qui rayonnent à partir de l'édifice. Un bassin, lui aussi divisé en carrés colorés, crée un endroit calme au centre. L'un des carrés du bassin est rempli de nénuphars et, juste sous la surface immobile, on aperçoit des globes réfléchissants, des billes, du verre pilé, du gravier et des pots en terre vivement colorés. Une passerelle couverte de plantes grimpantes, une sorte de haie flottante, court, au niveau du troisième étage, tout autour de l'édifice.

« Cette entreprise s'intéresse à la qualité de vie de ses employés, commente Martha Schwartz. Ils ont un bon chef cuisinier qui prépare des repas sains et délicieux. Sur ce projet, le paysage n'a pas été conçu après coup. Le bâtiment est situé dans un no man's land de bureaux près de l'aéroport de Munich. Cette société fut l'une des premières à s'y installer, et elle voulait quelque chose de très "introverti". Le bâtiment a été construit à partir du concept d'un espace intériorisé avec vue sur des jardins. »

Néanmoins, il fallut surmonter de sérieux problèmes pratiques. Chaque surface « paysagère » du bâtiment se trouvait au-dessus de sa structure, de sorte qu'on ne pouvait utiliser que des matériaux légers. Non seulement la plupart des espaces de jardin étaient en permanence à l'ombre, mais la terre ayant une très faible épaisseur, il fallait donc se contenter de petites plantes. « Nous n'avons jamais rencontré la terre. On avait l'impression de faire des jardins sur un vaisseau spatial. Etant donné la situation, nous avons dû recourir à des matériaux autres que des plantes pour rendre ces espaces intéressants. Les Allemands aiment les plantes et ont une certaine phobie des matériaux inorganiques. Nous avons donc utilisé des matériaux organiques non vivants. » L'idée des bandes vient de l'ancien usage agricole des terres sur lesquelles ce parc de bureaux a été construit – les jardins ressemblent à des champs labourés miniatures. Les couleurs et les thèmes de chaque jardin ont pour objectif de faciliter l'orientation et de créer des identités à l'intérieur de l'édifice.

La nature graphique de ce projet est le reflet des connaissances en gravure de Schwartz et la conséquence d'une méthode de travail issue de cette première formation. « En premier, je fais des plans sur papier. Je pars d'une représentation graphique de l'espace et je développe ensuite en allant du bidimensionnel au tridimensionnel. Je commence toujours par un plan ; cela met mes idées en ordre, parce que lorsque vous visitez les sites, vous pouvez être dépassé par leur taille. Souvent, quand je rentre à l'agence, je me sens débordée par l'espace, il me semble impossible, chaotique. La seule façon d'en sortir est de le réduire à un plan et de composer à partir de là. Pour qu'un aménagement soit lisible dans le paysage, chaotique par nature, il faut l'organiser autour d'une idée simple et forte. Mais pour que le projet tienne debout, il est clair qu'il faut dépasser l'interprétation graphique et travailler dans le sculptural/spatial. Vous ne pouvez pas agir avec trop de délicatesse sur un paysage : vous devez avoir quelque chose qui soit fondamentalement plus fort que le contexte , qui ait plus de cohésion, pour maintenir l'unité de l'ensemble. Mon but est de créer un objet dont la visibilité vient du fait qu'il contraste avec un environnement chaotique. »

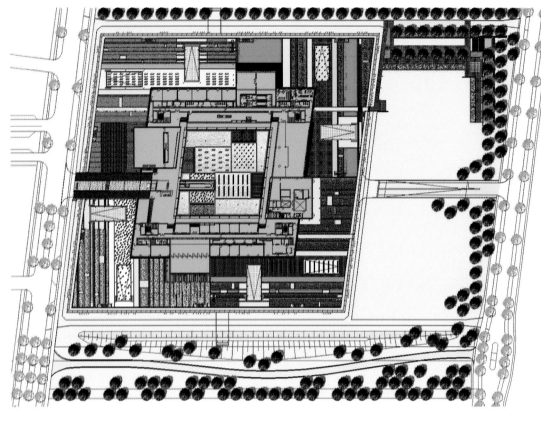

Le plan fait apparaître la division de l'édifice en quatre secteurs ayant chacun une couleur différente. L'aménagement rappelle la structure des terres agricoles qui s'étendaient à cet endroit.

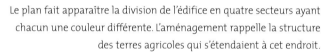

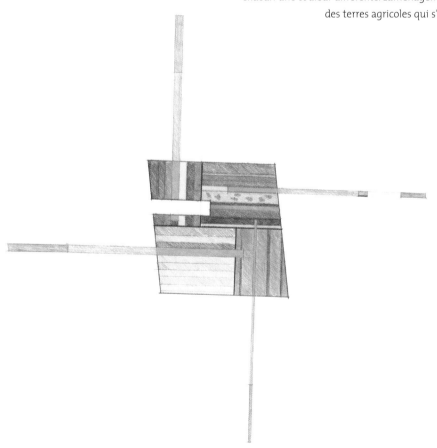

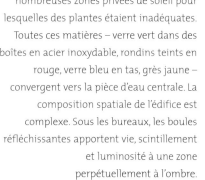

Des « matériaux techniques » composent les nombreuses zones privées de soleil pour lesquelles des plantes étaient inadéquates. Toutes ces matières – verre vert dans des boîtes en acier inoxydable, rondins teints en rouge, verre bleu en tas, grès jaune – convergent vers la pièce d'eau centrale. La composition spatiale de l'édifice est complexe. Sous les bureaux, les boules réfléchissantes apportent vie, scintillement et luminosité à une zone perpétuellement à l'ombre.

Toutes les surfaces s'inspirent de la striation d'un paysage agricole, y compris les toits et la terrasse. Du fait de la complexité de la structure, la couleur devient un moyen de s'orienter pour ceux qui sont à l'intérieur.

un **aquarium** pour relier la gare et la rivière

Lehrter Bahnhof Berlin

Berlin, Allemagne achèvement 2004
Client : Deutsche Bahn AG, ville de Berlin

En février 1999, Martha Schwartz, Inc., associé à Büro Kiefer de Berlin, a remporté le concours organisé pour l'aménagement de la place de la nouvelle gare de Berlin. En tant que point de convergence du système moderne de communications de Berlin, la gare, dans l'esprit de Martha Schwartz, est le symbole d'une société préoccupée par la vitesse et le mouvement. Situé à la confluence de divers systèmes de transport, quartiers urbains et échelles de paysage, le site est complexe et doit concilier des usages contradictoires.

Dans le projet de Martha Schwartz, Inc., la place est le trait d'union spatial entre les deux grandes structures qui caractérisent l'espace urbain berlinois : la Spree, rivière qui s'écoule dans un canal de béton, et les voies ferrées aériennes. La place assure aussi la transition entre le paysage dégagé du Tiergarten, au sud du site, et la ville densément construite. Ce projet visait à créer un espace cohérent capable de résoudre les problèmes complexes posés par les changements d'élévation du site et ses exigences techniques. L'idée était également d'en faire un élément culturellement important du paysage berlinois.

La place s'organise autour d'un aquarium linéaire peuplé de poissons de la Spree. Cet aquarium de 80 mètres de long, 2 de haut et 5 de large, part de la gare et avance en direction de la Spree. « Les poissons qui nagent dans le bassin apportent une touche attrayante d'ironie. Il y a toujours de la vie, même quand la place est vide. » Du côté de la Spree, l'aquarium se termine en panneau d'affichage donnant des informations sur l'eau de la rivière. La Spree, qui fut longtemps exclue de la conscience de la ville, acquiert ainsi une importance nouvelle dans la physionomie du centre de Berlin.

Les autres éléments de la place sont des arbres, des bancs et des escaliers. Le côté ouest est occupé par trois rangées compactes de saules pleureurs et de bancs qui relient les arbres bordant les rues à l'ouest à la végétation des berges de la Spree. Du côté est de la place, des bancs en bois rappelant des traverses de chemin de fer sont placés en épis à angle droit avec la façade. Au sud et à l'ouest, la place et la rue sont reliées par de nombreuses marches. Pour souligner les changements de la topographie du site, le secteur de la place qui va du hall de la gare à la Spree est légèrement surélevé. La pointe sud-ouest de cette plate-forme s'élève au-dessus du niveau de la rue formant un palier qui invite à contempler la Spree, le Spreebogenpark, le quartier du gouvernement et le Tiergarten.

Dessins du concours montrant les plans et les élévations de cette place minimaliste, avec son aquarium de 60 m de long reliant la gare à la rivière.

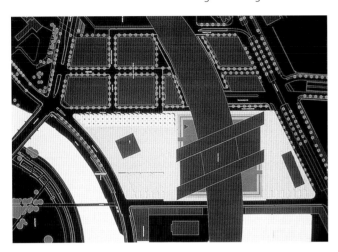

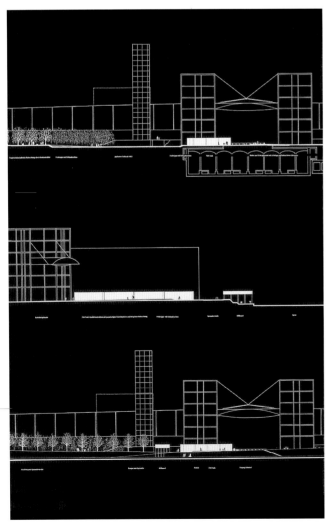

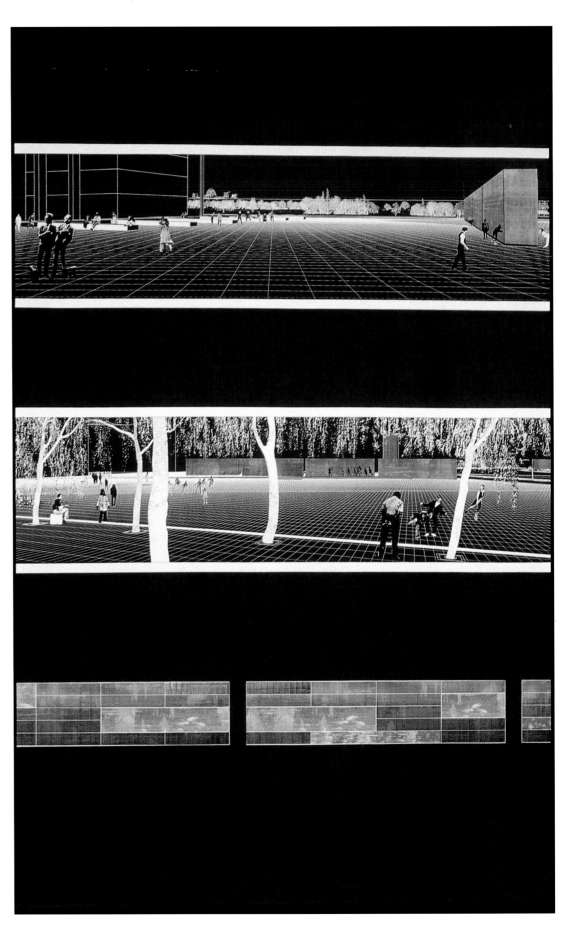

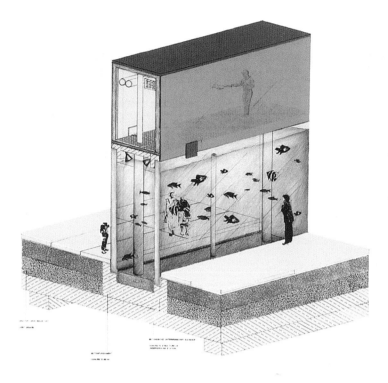

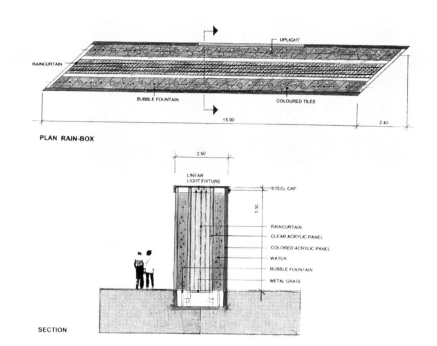

PLAN RAIN-BOX

RAINCURTAIN

UPLIGHT

BUBBLE FOUNTAIN   COLOURED TILES

15.00   2.40

2.50

LINEAR
LIGHT FIXTURE

STEEL CAP

RAINCURTAIN
CLEAR ACRYLIC PANEL
COLORED ACRYLIC PANEL
WATER
BUBBLE FOUNTAIN
METAL GRATE

SECTION

DETAIL: RAIN-BOX   M: 1:50
Datum 07 03 2001

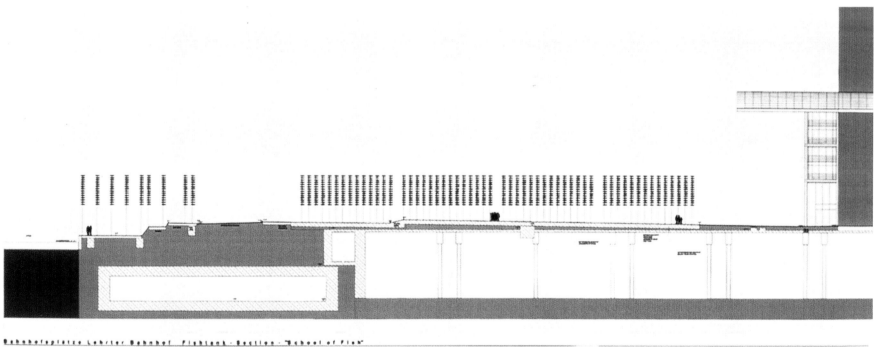

Coupes montrant divers « aquariums » possibles. Une coupe au niveau de la cuve en acrylique transparent [en haut à gauche] montre des colonnes soutenant une structure constituée de deux tubes : un tube inférieur pour les poissons et un tube supérieur pour la maintenance. Une variante [en haut à droite] montre la cuve en fontaine faite d'acrylique coloré et de lampes. Une coupe tranversale de l'ensemble de la structure [en bas] montre le tunnel ferroviaire et une sculpture faite de milliers de poissons-girouettes.

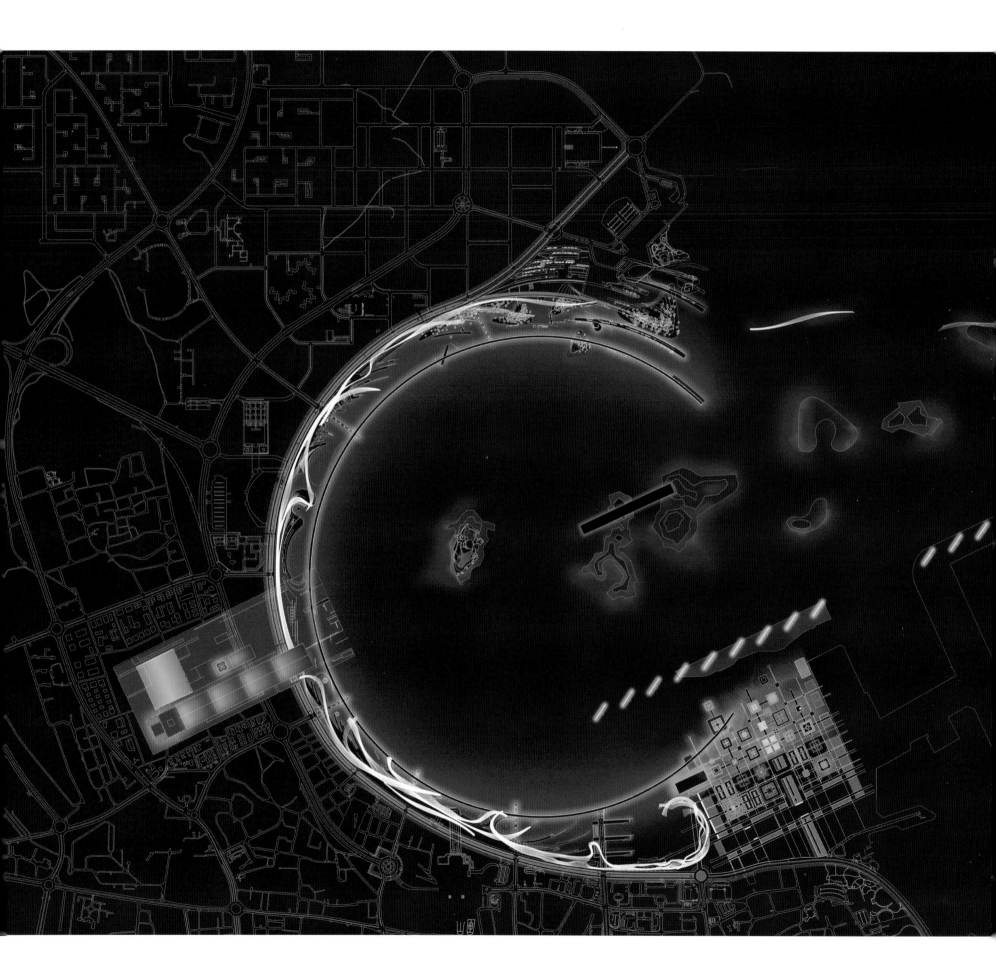

la **vie** des hommes et des plantes fait reculer le règne de l'automobile

Doha Corniche

Doha, Qatar 2003

Clients : Centre for Arts & Culture, National Council for Culture, Arts, and Heritage, The State of Qatar The Aga Khan Trust for Culture

Le plan de Schwartz pour réhabiliter les 7,5 kilomètres de route en front de mer de Doha et leurs abords comprend quatre zones en C concentriques. La première est la route en corniche ; la seconde, la promenade au bord de l'eau, la troisième, une zone écologique et la quatrième, une promenade en planches, structure flottante accessible en bateau-taxi. Les multiples éléments de l'aménagement seront reliés par huit circuits piétonniers ayant chacun son propre caractère.

« L'élaboration d'une corniche est particulièrement intéressante, note Martha Schwartz. Le mot lui-même est associé à des endroits parmi les plus beaux et romantiques du monde : Cannes, Monaco, la Riviera italienne. Il est synonyme de beauté du paysage, de mouvement et de passage. C'est un endroit où convergent les hommes et les voitures, un lieu de grande activité qui attire les gens en vue et ceux qui viennent les voir. »

La route de la Corniche sera intégrée à la vie de la cité par des dispositifs tendant à ralentir et à réduire la circulation (au moyen de plantations d'arbres). Afin de créer une atmosphère de promenade, l'installation de petites boutiques et de restaurants sera encouragée.

La promenade au bord de l'eau se déploiera en un mouvement sinueux de chemins en pierre dorée formant une berge très articulée et sculpturale. Les dentelures de la côte deviendront des rampes, des marches, des sièges, des sentiers, des plages, des docks, des digues et des habitats animaliers. Le long de la promenade se succéderont restaurants, mosquées, librairies, terrains de jeux, scènes et fontaines. Au-dessus flottera le « Collier blanc », une structure en treillis blanche et sinueuse qui s'étirera sur toute la longueur de la corniche et variera en hauteur et en largeur, formant des jeux d'ombres le jour et s'éclairant la nuit. « Cette œuvre d'art évoque les souvenirs du passé nomade, les tentes agitées par le vent, les robes bédouines flottantes, et la beauté toujours présente du paysage désertique d'une puissante horizontalité. »

La partie écologique de l'aménagement comprend la réintroduction de la mangrove noire et des herbes des marais (avec leur population d'oiseaux), ainsi que du sous-sol aquatique permettant leur épanouissement. Le ponton flottant offrira des vues sur la capitale. Trois grands parcs seront créés dans cette zone, Mangrove Park, Central Park et Museum Park, ce dernier comprenant une serre botanique, des jardins réguliers, un pavillon à papillons, un atoll de baignade et des volières, le tout situé autour des musées existants.

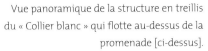

Vue panoramique de la structure en treillis du « Collier blanc » qui flotte au-dessus de la promenade [ci-dessus].

Plan détaillé de la promenade [à droite] faisant apparaître une berge aménagée pour des activités diverses, le treillis et une jetée qui relie la berge à une nouvelle promenade en planches en traversant une nouvelle « zone écologique ».

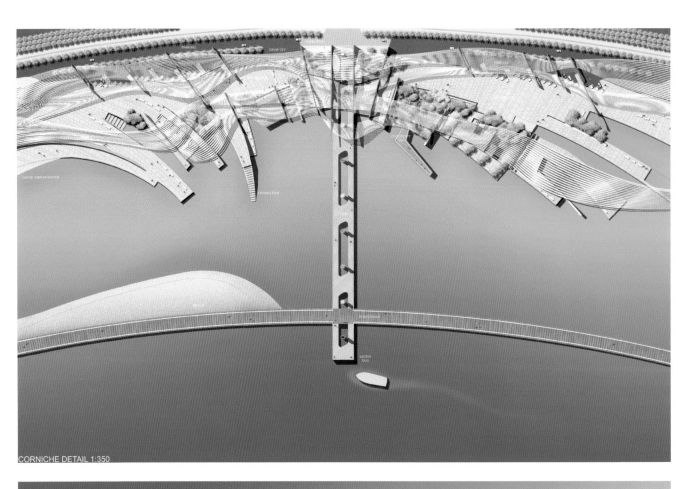

CORNICHE DETAIL 1:350

Vue panoramique du « Museum Park » [à droite], un parc de promenade où I. M. Pei est en train de construire un musée du Patrimoine culturel. A l'intérieur d'un plan géométrique régulier, divers programmes et activités ont été logés : serres, restaurants, volière, bassin de baignade, fontaines, parkings et musées.

Plan du Mangrove Park [page ci-contre en haut] montrant le parc intertidal destiné à restaurer l'habitat indigène de Doha.

Coupes de la promenade [page ci-contre au centre] montrant la route de la Corniche, le réseau des tramways, le treillis et la jetée, ainsi que le Museum Park [page ci-contre en bas] avec ses îles flottantes et ses murs de cyprès.

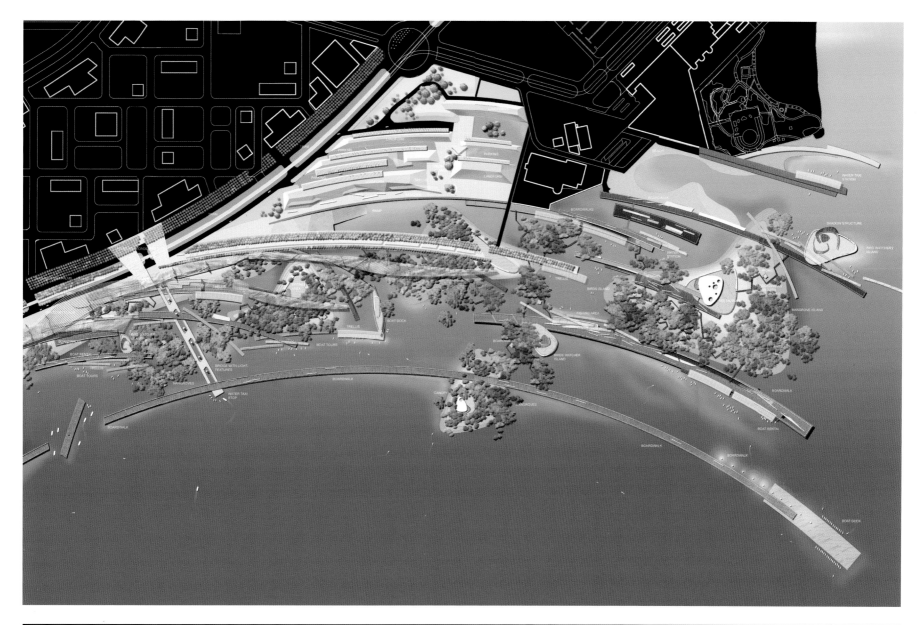

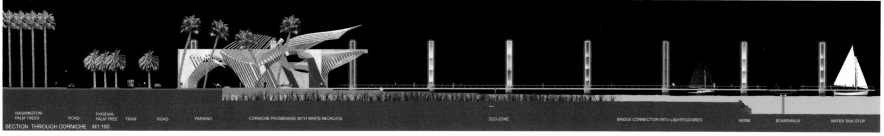

SECTION THROUGH CORNICHE M1:100

WASHINGTON-PALM TREES | ROAD | PHOENIX-PALM TREE | TRAM | ROAD | PARKING | CORNICHE PROMENADE WITH WHITE NECKLACE | ECO-ZONE | BRIDGE CONNECTION WITH LIGHTFEATURES | BERM | BOARDWALK | WATER TAXI STOP

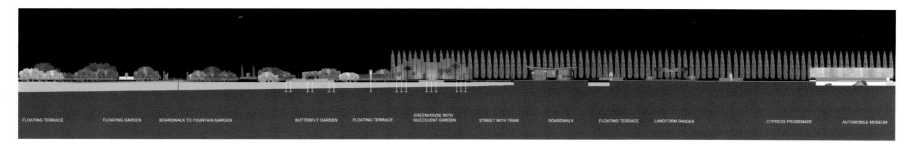

FLOATING TERRACE | FLOATING GARDEN | BOARDWALK TO FOUNTAIN GARDEN | BUTTERFLY GARDEN | FLOATING TERRACE | GREENHOUSE WITH SUCCULENT GARDEN | STREET WITH TRAM | BOARDWALK | FLOATING TERRACE | LANDFORM GARDEN | CYPRESS PROMENADE | AUTOMOBILE MUSEUM

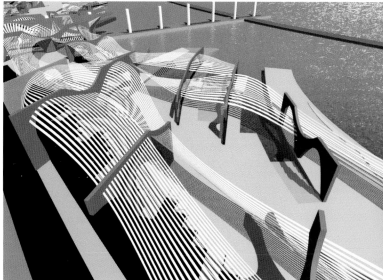

Ces images de synthèse montrent la qualité de l'espace et de la lumière sous le treillis du « Collier blanc ». La structure, faite de tubes d'aluminium et de murs en béton, donne une identité à la Corniche, qui en avait bien besoin, et fournit de l'ombre. Le jour, les ombres portées créent un superbe environnement dynamique en tirant parti de la force de l'ombre et de la lumière sous ce climat ; la nuit, la structure est éclairée. Dans les zones très fréquentées, elle est équipée d'un système de brumisation.

Liste complète des projets

Necco Garden

Splice Garden

Texas Bluebonnet Garden

Rio Shopping Center

Bagel Garden
Cambridge, Massachusetts
1979
Martha Schwartz

Necco Garden
Cambridge, Massachusetts
1980
Martha Schwartz, Peter Walker,
Rebecca Schwartz

Stella Garden
Bala-Cynwyd, Pennsylvanie
1980
Martha Schwartz

Puerto de Europa
Madrid, Espagne
1985
Schwartz Smith Meyer Landscape Architects :
Martha Schwartz, Ken Smith, David Meyer

Whitehead Institute Splice Garden
Cambridge, Massachusetts
1986
The Office of Peter Walker
and Martha Schwartz :
Martha Schwartz, Bradley Burke

Morgan Residence
Los Angeles, Californie
1986
Martha Schwartz, Inc. :
Martha Schwartz
Paysagiste associé : Mia Lehrer

International Swimming Hall of Fame
Fort Lauderdale, Floride
1987
The Office of Peter Walker
and Martha Schwartz :
Martha Schwartz,
Ken Smith, Gabe Ruspini
Architecte : Arquitectonica International

King County Jailhouse Garden
Seattle, Washington
1987
The Office of Peter Walker
and Martha Schwartz :
Martha Schwartz, Ken Smith,
Martin Poirier, Bradley Burke

Texas Bluebonnet Garden
Austin Airport, Texas
1988
Schwartz Smith Meyer Landscape Architects :
Martha Schwartz, Ken Smith, David Meyer

Center for Innovative Technology
Fairfax, Virginie
1988
The Office of Peter Walker
and Martha Schwartz :
Martha Schwartz, Ken Smith, David Meyer,
Martin Poirier
Architecte : Arquitectonica International

Limed Parterre with Skywriter
Cambridge, Massachusetts
1988
The Office of Peter Walker
and Martha Schwartz :
Martha Schwartz, Ken Smith

Rio Shopping Center
Atlanta, Géorgie
1988
The Office of Peter Walker
and Martha Schwartz :
Ken Smith, David Meyer, Martin Poirier,
Doug Findlay, David Walker
Architecte : Arquitectonica International

Turf Parterre Garden
New York, New York
1988
The Office of Peter Walker
and Martha Schwartz :
Martha Schwartz, Ken Smith

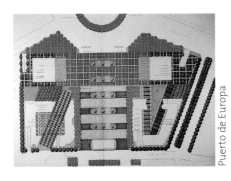
Puerto de Europa

Swimming Hall of Fame

Center for Innovative Technology

Turf Parterre Garden

Becton Dickson

Villamoura, Portugal

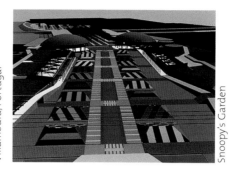

Snoopy's Garden

Cumberland Park

Becton Dickinson
San Jose, Californie
1990
Schwartz Smith Meyer Landscape Architects :
Martha Schwartz, Ken Smith, David Meyer,
Doug Findlay, David Jung, Sara Fairchild
Architecte : Gensler and Associates

Kunsthal Museumpark
Rotterdam, Pays-Bas
1990
Schwartz Smith Meyer Landscape Architects :
Martha Schwartz, Ken Smith, David Meyer
Architecte : Rem Koolhaas

Moscone Center
San Francisco, Californie
1990
Schwartz Smith Meyer Landscape Architects :
Martha Schwartz, Ken Smith, Sara Fairchild

Villamoura
Algarve, Portugal
1990
Schwartz Smith Meyer Landscape Architects :
Martha Schwartz, Ken Smith, David Meyer
Architecte : Arquitectonica International

The Citadel
City of Commerce, Los Angeles, Californie
1991
Schwartz Smith Meyer Landscape Architects :
Ken Smith, David Meyer, Sara Fairchild,
Kathryn Drinkhouse
Architecte : The Nadel Partnership

Dickenson Residence
Santa Fe, Nouveau-Mexique
1991
Schwartz Smith Meyer Landscape Architects :
Martha Schwartz, David Meyer,
Sara Fairchild, Ken Smith
Architecte : Steven Jacobson

Snoopy's Garden
Ito, Japon
1991
Schwartz Smith Meyer Landscape Architects :
Martha Schwartz, Ken Smith, David Meyer
Architectes : Philip Johnson, John Burgee

Jazz Hall of Fame
Kansas City, Missouri
Conception 1992
Schwartz Smith Meyer Landscape Architects :
Martha Schwartz, Ken Smith, David Meyer

Cumberland Park
Toronto, Ontario, Canada
1993
Schwartz Smith Meyer Landscape Architects :
Ken Smith, David Meyer

World Cup
Divers sites à travers les Etats-Unis
1994
Martha Schwartz, Inc. :
Martha Schwartz, Maria Bellalta, Leo Jew

Baltimore Inner Harbor (concours)
Baltimore, Maryland
1995
Martha Schwartz, Inc. :
Martha Schwartz, Maria Bellalta, Leo Jew,
Laura Rutledge, Paula Meijerink, Evelyn
Bergaila, Michael Blier, Chris MacFarlane
Architecte associé : Design Collective, Inc.

Delano Hotel
Miami Beach, Floride
1995
Martha Schwartz, Inc. :
Martha Schwartz

Littman Wedding
Deal, New Jersey
1995
Martha Schwartz, Inc. :
Martha Schwartz, Paula Meijerink,
Kevin Conger

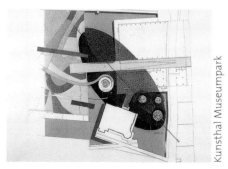

Kunsthal Museumpark

Dickenson Residence

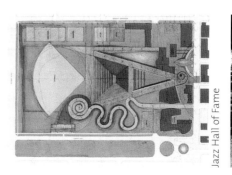

Jazz Hall of Fame

Delano Hotel

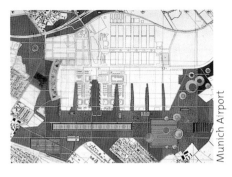

Munich Airport

Miami International Airport

Lincoln Road Mall

Geraldton Mine Project

Munich Airport
Munich, Allemagne
1995
Martha Schwartz, Inc. :
Paula Meijerink, Markus Jatsch,
Kevin Conger, Kaki Martin

Davis Residence
El Paso, Texas
1996
Martha Schwartz, Inc. :
Martha Schwartz, Michael Blier, Sara
Fairchild, Kevin Conger, Paula Meijerink

Jacob Javits Plaza
New York, New York
1996
Martha Schwartz, Inc. :
Martha Schwartz, Laura Rutledge, Maria
Bellalta, Chris MacFarlane, Michael Blier,
Leo Jew

**Miami International Airport Sound
Attenuation Wall**
Miami, Floride
1996
Martha Schwartz, Inc. :
Martha Schwartz, Kevin Conger,
Sara Fairchild, Chris Macfarlane, Laura
Rutledge, Maria Bellalta, Leo Jew

Winslow Farms Conservancy
Hammonton, New Jersey
1996
Martha Schwartz, Inc. :
Martha Schwartz, Kathryn Drinkhouse,
Michael Blier, Kevin Conger, Paula Meijerink

Nexus Kashi III
Fukuoka, Japon
1997
Martha Schwartz, Inc. :
Martha Schwartz, Paula Meijerink,
Michael Blier, Chris MacFarlane,
Kevin Conger

Linc.oln Road Mall
Miami Beach, Floride
1997
Martha Schwartz, Inc. :
Martha Schwartz, Michael Blier,
Paula Meijerink, Chris MacFarlane

Spoleto Festival
Charleston, Caroline-du-Nord
1997
Martha Schwartz, Inc. :
Martha Schwartz, Lisa Delplace, Lital Fabian,
Evelyn Bergaila, Wes Michaels, Kaki Martin

US Courthouse Plaza
Minneapolis, Minnesota
1997
Martha Schwartz, Inc. :
Martha Schwartz, Paula Meijerink, Chris
MacFarlane, Laura Rutledge, Maria Bellalta,
Leo Jew

Broward County Civic Arena
Fort Lauderdale, Floride
1998
Martha Schwartz, Inc. :
Martha Schwartz, Donald Sharp,
Tricia Bales, Lital Fabian

Geraldton Mine Project
Geraldton, Ontario, Canada
1998
Martha Schwartz, Inc. :
Martha Schwartz, Lital Fabian,
James Lord, Tricia Bales

HUD Plaza Improvements
Washington, DC
1998
Martha Schwartz, Inc. :
Martha Schwartz, Evelyn Bergaila, Paula
Meijerink, Chris MacFarlane, Michael Blier,
Kevin Conger, Sara Fairchild, Scott Wunderle,
Kaki Martin, David Bartsch, Rick Casteel
Architecte associé : Architrave, P.C.

Jacob Javits Plaza

Nexus Kashi III

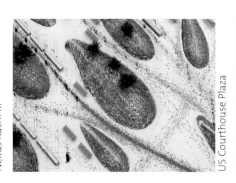

US Courthouse Plaza

HUD Plaza Improvements

Marina Linear Park

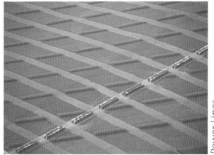
Power Lines

Albuquerque Interstate Corridor

Gifu Kitagata Apartments

Marina Linear Park
San Diego, Californie
1998
The Office of Peter Walker
and Martha Schwartz

Theme Park Entry Esplanade
Anaheim, Californie / WDI
1998
Martha Schwartz, Inc. :
Martha Schwartz, Donald Sharp,
Paula Meijerink, Lital Fabian, Sari Weissman,
Tricia Bales, Evelyn Bergaila, Scott Carmen,
Shauna Gillies-Smith, Don Sharp,
Jennifer Brooke, Paula Meijerink
Piazza centrale : Martha Schwartz, Donald
Sharp, Lital Fabian, Shauna Gillies-Smith,
Paula Meijerink, Tricia Bales, Scott Carmen,
Rafael Justewicz, Michel Langevin,
Wes Michaels, Melanie Mignault

Power Lines
Gelsenkirchen, Allemagne
1999
Martha Schwartz, Inc. :
Martha Schwartz, Markus Jatsch

Winterthur Competition
Winterthur, Suisse
1999
Martha Schwartz, Inc. :
Martha Schwartz, Paula Meijerink,
Wes Michaels, Lital Fabian

Lehrter Bahnhof
Berlin, Allemagne
1999–2004
Martha Schwartz, Inc. :
Martha Schwartz, Paula Meijerink,
Tricia Bales, Melanie Mignault,
Michael Glueck, Shauna Gillies-Smith,
Mike Kilkelly, France Cormier, Lital Fabian,
Wes Michaels, Kristina Patterson
Paysagiste associé : Büro Kiefer (Berlin)

**Albuquerque Interstate Corridor
Enhancement Plan**
Albuquerque, Nouveau-Mexique
2000
Martha Schwartz, Inc. :
Martha Schwartz, Paula Meijerink,
Tricia Bales, Shauna Gillies-Smith

Denver Airport
Denver, Colorado
2000
Martha Schwartz, Inc. :
Martha Schwartz, Jane Choi, Scott Carmen,
Sari Weissman, Isabel Zempel,
Evelyn Bergaila, Steve Foster

Exchange Square
Manchester, Royaume-Uni
2000
Martha Schwartz, Inc. :
Martha Schwartz, Shauna Gillies-Smith,
Don Sharp, Paula Meijerink, Lital Fabian,
Tricia Bales, Wes Michaels, Evelyn Bergaila,
Scott Carmen, Rafael Justewicz
Illustrations : Michael Blier

Gifu Kitagata Apartments
Kitagata, Japon
2000
Martha Schwartz, Inc. :
Martha Schwartz, Paula Meijerink,
Shauna Gillies-Smith, Michael Blier,
Chris MacFarlane, Kaki Martin, Don Sharp

Paul Linc.ke Höfe
Berlin, Allemagne
2000
Martha Schwartz, Inc. :
Martha Schwartz, Paula Meijerink,
Patricia Bales, Scott Carmen, Lital Fabian,
Francesca Levaggi, Wes Michaels,
Shauna Gillies-Smith, Michael Wasser,
James Lord
Paysagiste associé : Büro Kiefer (Berlin)

Detmold Redevelopment Plan
Detmold, Allemagne
Conception 2000
Martha Schwartz, Inc. :
Martha Schwartz

Theme Park Entry Esplanade

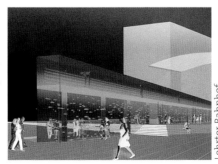
Lehrter Bahnhof

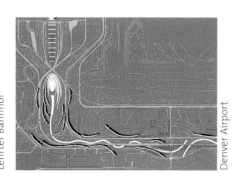
Denver Airport

Paul Lincke Höfe

National Underground Railroad

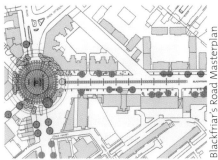

Blackfriar's Road Masterplan

Crawford Museum

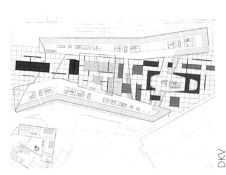

DKV

National Underground Railroad Freedom Center
Cincinnati, Ohio
Conception 2000
Martha Schwartz, Inc. :
Martha Schwartz, Shauna Gillies-Smith,
Donald Sharp, Wes Michaels, Tricia Bales,
Paula Meijerink, Lital Szmuk, Sari Weissman,
Ben Kubier, Michael Kilkelly, Michael Glueck,
France Cormier, Krystal England,
Albert Jacob, Letitia Tormay, Nate Trevethan,
Nicole Gaenzler, Steve Foster, Matteus,
Lital Fabian, Kristina Patterson
En collaboration avec Walter Hood

51 Garden Ornaments
Westphalie, Allemagne
2001
Martha Schwartz, Inc. :
Martha Schwartz, Isabel Zempel

Blackfriar's Road Masterplan
Londres, Royaume-Uni
2001
Martha Schwartz, Inc. :
Martha Schwartz, Paula Meijerink,
Nate Trevethan

Bo 01: City of Tomorrow exhibition
Malmö, Suède
2001
Martha Schwartz, Inc. :
Martha Schwartz, France Cormier

Crawford Museum
Cleveland, Ohio
2001
Martha Schwartz, Inc. :
Martha Schwartz, Shauna Gillies-Smith,
Sari Weissman, France Cormier,
Paula Meijerink, Jane Choi

New Mexico Balloon Park
Albuquerque, Nouveau-Mexique
2001
Martha Schwartz, Inc. :
Martha Schwartz, Evelyn Bergaila,
Paula Meijerink, Michael Blier, Lital Fabian,
Kaki Martin, Chris MacFarlane

Bahndeckel Theresienhohe
Munich, Allemagne
2001
Martha Schwartz, Inc. :
Martha Schwartz, Isabel Zempel

Bavarian National Museum Competition
Munich, Allemagne
2001
Martha Schwartz, Inc. :
Martha Schwartz, Isabel Zempel

DKV
Cologne, Allemagne
Conception 2001
Martha Schwartz, Inc. :
Martha Schwartz, Nicole Gaenzler,
Isabel Zempel, Michael Glueck,
Paula Meijerink, Letitia Tormay,
France Cormier, Sari Weissman
Architecte : Jan Störmer

Mesa Arts & Entertainment Center
Mesa, Arizona
depuis 2001
Martha Schwartz, Inc. :
Shauna Gillies-Smith, Donald Sharp,
France Cormier, Roy Fabian, Kristina
Patterson, Krystal England, Sari Weissman,
Michael Glueck, Nicole Gaenzler, Lital Szmuk,
Michael Kilkelly, Nate Trevethan, Lital Fabian,
Wes Michaels, Susan Ornelas, Patricia Bales,
Paula Meijerink
Architecte : BOORA Architects, Inc..

51 Garden Ornaments

Bo 01: City of Tomorrow exhibition

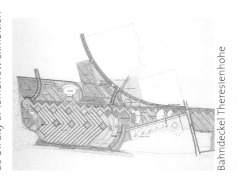

Bahndeckel Theresienhöhe

Mesa Arts & Entertainment Center

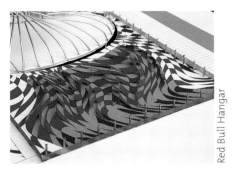

Red Bull Hangar

Spoor Nord Competition

Coventry Civic Squares

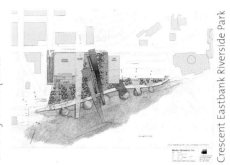

Crescent Eastbank Riverside Park

Quartier général de l'OTAN
Bruxelles, Belgique
2002
Martha Schwartz, Inc. :
Martha Schwartz, Isabel Zempel

Red Bull Hangar
Aéroport de Salzbourg, Autriche
2002
Martha Schwartz, Inc. :
Martha Schwartz, Isabel Zempel,
France Cormier, Sari Weissman

Spoor Nord Competition
Anvers, Belgique
2002
Martha Schwartz, Inc. :
Martha Schwartz, Isabel Zempel, Jan Bunge
Architecte : Neutelings Riedijk Architecten

Swiss Re Headquarters
Munich, Allemagne
2002
Martha Schwartz, Inc. :
Martha Schwartz, Paula Meijerink,
Tricia Bales, Wes Michaels, Michael Langevin,
Melanie Mignault, Shauna Gillies-Smith,
Michael Glueck, Lital Fabian, Krystal England,
Nicole Gaenzler
Architecte : BRT Architekten
Paysagiste associé : Peter Kluska
Landschaftsarchitekt

Wakefield/Rennie House
Londres, Royaume-Uni
2002
Martha Schwartz, Inc. :
Martha Schwartz, Nate Trevethan
Architecte : Wilkinson Eyre

Autoland
Shanghai, Chine
Conception 2002
Martha Schwartz, Inc. :
Martha Schwartz, Isabel Zempel
Architecte : Philip Johnson Alan
Ritchie Architects

Coventry Civic Squares
Coventry, Royaume-Uni
Conception 2002
Martha Schwartz, Inc. :
Martha Schwartz
Paysagiste associé : Derek Lovejoy
Partnership

Wimmer Vienna
Vienne, Autriche
Conception 2002
Martha Schwartz, Inc. :
Martha Schwartz, Isabel Zempel, France
Cormier, Paula Meijerink, Nicole Gaenzler

Crescent Eastbank Riverside Park
Portland, Oregon
2003
Martha Schwartz, Inc. :
Martha Schwartz, Shauna Gillies-Smith,
France Cormier, Sari Weissman,
Paula Meijerink, Donald Sharp,
Nicole Gaenzler, Letitia Tormay.
Consultant principal : OTAK, Inc. Don
Hanson, Kerry Lankford

Doha Corniche
Doha, Qatar
Conception 2003
Martha Schwartz, Inc. :
Martha Schwartz, Darren Sears,
Claudia Harari, Donald Booth, Isabel Zempel,
Ramsey Badawi, Nora Libertun,
Lupita Berlanga, Christian Weier,
Hong Zhou, Xun Li

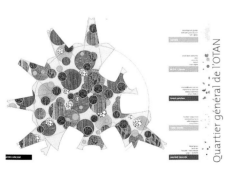

Quartier général de l'OTAN

Swiss Re Headquarters

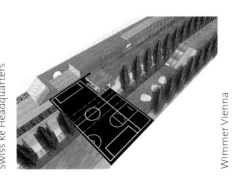

Wimmer Vienna

Doha Corniche

Bibliographie

« [Urban] Jungle Warfare », Pamela Young, *Azure*, juillet/août 2003

« Land Marks: Martha Schwartz talks with Nina James », Nina James, *Architecture Boston*, mars/avril 2003

Architecture in the Garden, James van Sweden, Random House, New York, 2002

« Martha Schwartz : la progresión de los materiales », Jeannette Plaut, *Ambientes*, décembre 2002

« The Willow, Malmo, Sweden », « Mesa Arts and Entertainment Center » et « Exchange Square, Manchester, England », *Dialogue*, août 2002

« Architektur und Natur », *Baumeister, Architektur und Landschaft*, août 2002

« (Dueling Designers) Rooftop Warriors », Carolyn Sollis, *House Beautiful*, juillet 2002

« Eine Harte Sache », Alexander Hosch, *Architectural Digest – Germany*, juin/juillet 2002

« Martha Schwartz in Full Color », Erika Entholt, *Premium*, avril 2002

« Manchester "Puddingstein", Granit und Stahl », *Garten + Landschaft*, avril 2002

« A Constellation of Pieces », Marc Treib, *Landscape Architecture*, mars 2002

« Martha Schwartz: Bunte Garten Bilder », Heidi Wiesse, *Eden*, mars 2002

« Between the Lines: Designer Profile », Chris Young, *Garden Design Journal*, février/mars 2002

« Martha Schwartz, USA, fascinerar med trasslig tårpil », *Boo1 Framtidsstaden*, août 2001

« In the Public Realm », Keith Franklin West, *Charleston*, mai/juin 2001

« Avant-Garden », Leslie Forbes, *Gardens Illustrated*, mai 2001

« Paul Lincke Höfe », *Land Forum*, n° 6, juin 2000

« Public Domain », Jenny Shears, *Surface*, avril 2001

« Garten der vier Jahreszeiten in Japan », *Garten + Landschaft*, avril 2001

« Kitagata Garden City », Phoebe Chow, *The Architectural Review*, avril 2001

« Martha Schwartz – Exchange Square, Power Lines, Giardini Kitagata », Francesco Repishti (éd.), *Lotus Navigator*, mars 2001

« Without Bells and Whistles », Brenda Brown, *Landscape Architecture*, février 2001

« Berlin Von Hinten », Ulrich Timm, *Haüser*, janvier 2001

« Facelift for the future – Barrick puts a new front on Geraldton », John Martschuk, *Coal Mining Journal*, janvier 2001

« Martha Schwartz: Making Landscapes Pop », Fred Bernstein, *The New York Times*, 21 décembre 2000

« Martha Schwartz in Washington », Nora Richter Greer, *de Architect*, novembre 2000

« Allegro con brio », *Duzaúh*, 2000

« Workstation – Kitagata Apartment Reconstruction Project, the Courtyard Project, Gifu », *Dialogue*, septembre 2000

« Grootschalige renovatie woningbouw in Gifu: Een opmerkelijk feministisch project in Japan », Paula Meijerink, *Groen*, octobre 2000

« Anything But Square », Fred Bernstein, *The Sunday Review*, septembre 2000

« Manchester: "Pudding-Stein" trifft Granit und Stahl », Martha Schwartz et Shauna Gillies-Smith, *Topos*, septembre 2000

« Tipps & Trends Garten », Uta Abendroth, *Schöner Wohnen*, juin 2000

« America's 10 Most Innovative Gardens », Gordon Taylor et Guy Cooper, *New Eden*, mai/juin 2000

« What Martha Did in New Mexico », Tim Richardson, *New Eden*, mai/juin 2000

« Regenerating Landscapes », *New Heritage*, mai 2000

« Gärten Der Zukunft », Viola Effmert, *Architekt Wirtschaft Recht*, mai 2000

« Gifu Kitagata Apartment », *GA Japan*, mai/juin 2000

« Gifu Kitagata Apartments Second Phase », *Shinkenchiku:2000*, mai 2000

« 20th Century Inspirations », *The Garden Design Journal*, printemps 2000

The Environment and Landscape Architecture of Korea, n° 5, 2000

« Exchange Rates », Chris Young, *Landlines*, février 2000

C3 Korea, n° 185, 2000

« Cement Gardens », Elspeth Thompson, *The Sunday Telegraph Magazine*, 9 janvier 2000

« Martha's Pop-Parks », Alexander Hosch, *Architectural Digest*, décembre/janvier 1999/2000

« The Davis Garden, El Paso, Texas », *Land Forum*, n° 3, 1999

« Jacob Javits Plaza in New York door Martha Schwartz », Linette Widder, *de Architect Dossiers*, novembre 1999

« Richiami Simbolici », Gilberto Oneto, *Ville Giardini*, octobre 1999

Gardens Illustrated, septembre 1999

« Martha Schwartz, Inc », *Landscape Architect and Specifier News*, septembre 1999

« Dance of the Drumlins », Paul Bennett, *Landscape Architecture*, août 1999

« Rus in Urbe », *The Architectural Review*, juillet 1999

« Bunte Pop-Art-Gärden », Katharina Sand, *Bolero*, juin 1999

« Avant Garden », Liz Vannah, *Munich Found*, juin 1999

« Fields of Fantasy », *Monument*, 29

« Bezüge zur Unter(wasser)welt », Thies Schröder, *Garten + Landschaft*, mai 1999

« Zwei Plazas von Martha Schwartz », Gina Crandell, *Garten + Landschaft*, mai 1999

« Breuer haha », *Wallpaper**, avril 1999

« Public Art in Broward County: An Interview with Jean Grier », Stanley Collyer, *Competitions*, printemps 1999

« Il complesso residenziale di Kitagata, Gifu », Arata Isozaki, *Lotus 100*

« Mit Grünen Buckeln Gegen Langweile », *Haüser*, avril 1999

« Sag mir, wo die Blumen sind », Claudia Voigt, *KulturSpiegel*, avril 1999

« An Unconventional Artist », Chris Young, *Landscape Design*, mars 1999

« An Interview with Martha Schwartz », Heidi Kost-Gross, *Perspectives in Landscape Design*, hiver 1999

« Remaking Manchester », Peter Neal, *Landscape Design*, septembre 1998

« Die Pop-Gärtnerin », Elke von Radziewsky, *Architektur & Wohnen*, janvier 1999

« Gardino Messicano », Ada Maria Ornaghi, *Abitare*, août 1998

« White Out », Bradford McKee, *Architecture*, août 1998

« Flying Saucers at HUD », Benjamin Forgey, *The Washington Post*, 6 juin 1998

« The Battle for Pep-O-Mint Plaza », Bradford McKea, *Washington City Paper*, 22 mai 1998

« Three Projects for Public Spaces in America », Dean Cardasis, *Domus*, mars 1998

« Return to Spoleto », Eleanor Heartney, *Art in America*, décembre 1997

« Interview with Martha Schwartz and Jacques Simon », Quim Rosell, *2G*, n° 3, 1997

« The Grove as Pop Art: Martha Schwartz », Lynnette Widder, *Daidalos*, septembre 1997

« Miami Rhapsody », Michael Webb, *Metropolis*, septembre 1997

« Toward a New Living Environment: Gifu Kitagata Housing Project », *Space and Design*, août 1997

« On the Subject of Human Nature », Jane Brown Gillette, *Landscape Architecture*, août 1997

« Avant Gardener », Wendy Moonan, *House & Garden*, avril 1997

« Self Portrait », Jane Brown Gillette, *Landscape Architecture*, février 1997

« Serra to Schwartz », Heidi Landecker, *Architecture*, janvier 1997

« Que Serra, Serra », Karrie Jacobs, *New York*, 20 janvier 1997

Innovative Design Solutions in Landscape Architecture, Steven L. Cantor, Van Nostrand Reinhold, New York, 1997

Martha Schwartz: Transfiguration of the Commonplace, Elizabeth K. Meyer, Spacemaker Press, Berkeley, 1997

Paradise Transformed: The Private Garden for the Twenty-First Century, Guy Cooper et Gordon Taylor, Monacelli Press, New York, 1996

« Natura e Artefatto », Isotta Cortesi, *AREA*, septembre/octobre 1996

Between Landscape Architecture and Land Art, Udo Weilacher, Birkhäuser, Bâle et Boston, 1996

Ortho's Guide to Creative Home Landscaping, Ortho Books, San Ramon, 1996

« The Haunting of Federal Plaza », John Beardsley, *Landscape Architecture*, mai 1996

« Miami Beach Comes of Age », Raul A. Barreneche, *Architecture*, avril 1996

« Sculpting the Land », John Beardsley, *Sculpture*, vol. 15, n° 4, 1996

« Imaginary Gardens With Real Frogs – Space in the Work of Martha Schwartz », Dean Cardasis, *GSD News*, hiver/printemps 1996

« Federal Buildings and Campuses », Vernon Mays, *Architecture*, janvier 1996

« Landschaftspark Messestadt Riem, Muenchen », *Wettbewerbe Aktuell*, vol. 12, 1995

« Landschaftspark Muenchen-Riem », Horst Burger et Andrea Gebhard, *Garten + Landschaft*, décembre 1995

« Peter Walker und Martha Schwartz », Udo Weilacher, *Die Gartenkunst*, vol. 7, n° 1, 1995

« Face to Face – Martha Schwartz, Inc. », Graham Vickers, *World Architecture*, n° 36

« A Crab for Baltimore? », Andy Brown, *Landscape Architecture*, juin 1994

« Tile, Style and Landscape Architecture », Carter Crawford, *Landscape Design*, avril 1994

« A Contemporary Approach to the Ageless Vistas of Santa Fe », Verlyn Klinkenborg, *Architectural Digest*, décembre 1993

« Bass Museum Expansion », Projects Section, *Progressive Architecture*, novembre 1993

« Shaping a New American Landscape », Yoshiko Kasuga, *Pronto USA Magazine*, vol. 10, n° 9, 1993

« Urban Outfitter », Myriam Weisang Misrach, *Elle*, septembre 1993

« Landscape & Common Culture Since Modernism », Martha Schwartz, *Architecture California*, vol. 14, n° 2, novembre 1992

« Parc de la Citadelle », Martha Schwartz, *Pages Paysages*, vol. 4, septembre 1992

Piscines, Sophie Roche-Soulie, Editions du Moniteur, septembre 1992

« On the Edge in Sante Fe », David Dillon, *Garden Design*, mai/juin 1992

« Our Culture and the Art for Public Places », Martha Schwartz, International IFLA Conference, *Artivisual Landscapes*, 1992

« Five Views: One Landscape, A Journal of Experiment in Public Art », Myra Mayman, Cathleen McCormick, Office for the Arts at Harvard & Radcliffe, 1992

« Freeway Landmark », Lynn Nesmith, *Architecture*, décembre 1991

« The Citadel Grand Allée, Honor Award », et « Becton Dickinson Atrium, Merit Award », *Landscape Architecture*, novembre 1991

« A Cross Cultural Concert In the Far East », Sally Woodbridge & Hiroshi Watanabe, *Progressive Architecture*, août 1991

« Perspectives: Landscape Architecture », Anne Whiston Spirn, Diana Balmori & Martha Schwartz, *Progressive Architecture*, août 1991

« Becton Dickinson », Monica Geran, *Interior Design*, août 1991

The Japan Architect, vol. 5, 1991

« Landart », Elsa Leviseur, *The Architectural Review*, avril 1991

Environmental Design: Architecture and Technology, Margaret Cottom-Winslow, PBC International, New York, 1991

« Martha Schwartz: Consumption Landscape », Marta Cervello, *Quaderns*, n° 185, avril/juin 1990

« Neue welle fürs Gartendesign », Horst Rasch, *Haüser*, n° 6, novembre 1990

« Von Künstlern entworfen: Gärten der Zukunft? », Elke von Radziewsky et Vera Graf, *Architektur & Wohnen*, n° 5, octobre/novembre 1990

« The Avant-Gardeners », Deborah Papier, *Avenue*, juin/juillet 1990

« New American Landscapes », *Dialogue*, n° 4, 1990

« Portfolio: The "New Wave" in Landscaping », Daralice D. Boles, *Trends*, Japon, n° 2, 1990

« Rhombus Room » et « A Convergence of "Isms" », *Landscape Architecture*, janvier 1990

« Kashii District Housing, Architectural Design Citation », *Progressive Architecture*, 1990

« Rio Shopping Center, Merit Award » et « Turf Parterre, Merit Award », *Landscape Architecture*, novembre 1989

« The Innovators », *Newsweek*, 2 octobre 1989

« The Rebirth of the Garden », Frances Anderton, *The Architectural Review*, septembre 1989

« Look Both Ways », Jim Murphy, *Progressive Architecture*, août 1989

« A Machine in the Forest », Vernon Mays, *Progressive Architecture*, août 1989

« P/A Profile, Peter Walker and Martha Schwartz », Daralice D. Boles, *Progressive Architecture*, juillet 1989

« Turf Parterre Garden », Richard Martin (éd.), *The New Urban Landscape*, Olympia & York Companies, New York, 1989

« Martha Schwartz's 'Splice Garden': A Warning to a Brave New World », Jory Johnson, *Landscape Architecture*, juillet/août 1988

« American Landscape Architecture: Martha Schwartz », Toru Mitani, *SD Magazine*, Japon, août 1988

« Harmony in Design », Julie Bondurant, *Garden Design*, été 1988

« Transforming the American Garden », Jean Feinberg, *Landscape Architecture Magazine*, juillet 1986 (voir aussi l'article de Patricia Phillips, *Art Forum Magazine*, septembre 1986)

Insights on Site: Perspectives on Art in Public Places, Stacy Paleologos Harris (éd.), Partners for Livable Places, Washington DC, 1985

« Planting Plastic », Paula Dietz, *The New York Times*, 22 septembre 1985

« Stella Schwartz Garden », Martha Schwartz, *Landscape Architecture*, mai 1984

« M.I.T. May-Day Garden », Martha Schwartz, *Landscape Architecture*, mai 1982

« Bagel Garden », *Landscape Architecture*, janvier 1980

Crédits des illustrations